KB210922

AI마인드셋
: 상상력을 넘어선 질문의 세계

조은선

AI마인드셋: 상상력을 넘어선 질문의 세계

발행	|	2024년 3월 30일
저자	|	조은선
디자인	|	어비, 미드저니
편집	|	어비
펴낸이	|	송태민
펴낸곳	|	열린 인공지능
등록	|	2023.03.09(제2023-16호)
주소	|	서울특별시 영등포구 영등포로 112
전화	|	(0505)044-0088
이메일	|	book@uhbee.net

ISBN | 979-11-93116-78-4
www.OpenAIBooks.shop

ⓒ **열린 인공지능 출판사 2024**
본 책은 저작자의 지적 재산으로서 무단 전재와 복제를 금합니다.

AI마인드셋
: 상상력을 넘어선 질문의 세계

조은선

목차

머리말

저자소개

제1장: 인간 다움과 AI의 상생 이해하기

1-1. AI의 새벽; 레오나르도 다 빈치의 시선으로

1-2. 레오나르도의 창의성과 현대 AI의 우리의 삶

제2장: AI 시대의 마인드셋과 그 중요성

2-1. 인간 감성과 AI 기술의 조화를 추구하는 마인드셋

2-2. 레오나르도 다 빈치와 현대 AI: 상상에서 현실로

제3장: AI 마인드셋의 이해 – 상상력을 넘어선 질문의 세계

3-1. 인간 중심의 AI 이해 및 새로운 사고방식 개발

3-2. 변화를 수용하는 태도의 중요성

제4장: AI 마인드셋의 실천 - 전략과 실행

4-1. 일상 속 AI: 삶의 질을 높이는 혁신

4-2. AI와 함께 성장하는 미래 준비 전략

제5장: AI 마인드셋의 심화 - 미래를 향한 도약

5-1. AI와 함께 성장하는 인간성: 윤리와 가치, 그리고 혁신

5-2. AI 마인드셋의 확장: 창조적 미래 AI의 무한한 가능성

제6장: AI 마인드셋으로 새로운 미래를 그리다

6-1. 미래를 위한 AI 마인드셋: 새로운 리더십과 미래의 준비

6-2. AI 마인드셋: 인간과 AI 기술의 조화로운 미래 최적화 설계

에필로그: 상상력을 넘어선 질문, 삶을 바꾸다

부록: AI 마인드셋 가이드

머리말

우리는 지금, 인공지능(AI)이라는 새로운 시대의 고요한 새벽을 맞이하고 있습니다. 이 새벽은 단순한 기술의 진화가 아니라, 인간의 본질에 대한 근본적인 질문을 던지는 시대의 시작을 알립니다. "AI는 단순히 미래를 예측하는 것이 아니라, 우리가 미래를 만드는 방식 자체를 변화시킨다." 이러한 변화의 중심에서, 우리는 레오나르도 다 빈치 같은 시대를 초월한 천재의 시선으로 AI를 바라봅니다. 그의 창의성과 호기심은 오늘날 AI의 혁신적인 발전과 어떻게 연결될 수 있는지 탐색하는 데 중요한 영감을 제공합니다.

AI의 발전은 우리의 일상, 업무, 건강관리, 자기계발 심지어 우리가 세상을 바라보는 방식에 깊이 영향을 미치고 있습니다. 또한, AI 기술의 발전은 계속될 것이며, 이는 우리 삶의 모든 측면에 더 깊은 영향을 미칠 것입니다. AI 시대를 적극적으로 받아들이고, 그 속에서 성장하는 방법을 배울 수 있으며, AI 기술의 본질을 이해하고 자신의 삶과 사회를 어떻게 혁신해나갈 수 있을지 영감을 얻게됩니다. 그에 따라 개인의 학습과 성장을 지원하며, 우리 각자의 삶을 더 풍요롭고 의미 있게 만드는 인간다움의 새로운 지평을 엽니다.

다 빈치는 예술을 통해 일상을 새롭게 해석했습니다. 그는 "만약 나무가 말할 수 있다면 무엇을 말할까?"와 같은 질문을 통해 자연과 대화하는 방식으로 창의력을 키웠을 것입니다. "우리는 AI 시대의 새로운 파도에 올라타, 미지의 세계로 항해해야 한다. 이것은 우리가 두려워해야 할 불확실성이 아니라, 적극적으로 받아들여야 할 새로운 기회다." AI와 인간의 상생은 미래 사회에서 중요한 주제가 될 것이며, AI는 우리가 상상하는 것 이상의 가능성을 제시해주며, 우리 사회와 삶에 깊은 영향을 미칠 것입니다.

이 머릿말은 AI 시대의 새로운 물결을 탐구하며, 인간과 AI가 어떻게 상생할 수 있는지에 대한 깊이 있는 이해를 제공합니다. 독자들은 이를 통해 AI 시대를 살아가는 데 필요한 새로운 AI마인드셋을 개발할 수 있으며, 기술의 본질을 이해하고 이를 통해 자신의 삶과 사회를 어떻게 혁신할 수 있는지에 대한 영감을 얻게 됩니다. 이는 독자들에게 AI시대를 살아가는 데 지속 가능한 상생하는 새로운 AI마인드셋을 그리는 첫걸음이 될 것입니다.

저자 소개

조은선(레오나AI)는 메타큐레이션 대표로서 4차 산업 트렌드 교육, IR, 신사업 기획 등 AI툴 활용 강사다.

또한, ㈜디테크게엠베하 차장, (재)한국공공디자인지역지원재단, 디테크융합연구소에서 연구교수로 활동하고 있다.

ChatGPT 관련 저서를 집필하고, ESG골든리더스 사회공헌에서 대상을 받는 등 ChatGPT와 AI를 활용한 미래 자산 활용 노하우를 분야별로 전하는 AI큐레이터로 활동하고 있다.

[제1장]
인간다움과 AI의 상생 이해하기

"AI는 인간의 창의성을 새로운 차원으로 끌어올린다. 그것은
우리가 상상할 수 있는 것을 현실로 만들어 준다."

새로운 세계를 향한 호기심의 여정

새로운 세계에 대한 호기심은 나의 존재를 깊이 있게 만들었습니다. 새벽이 밝아오는 창가에 앉아, 나는 끊임없이 묻곤 했습니다. "이 세상엔 어떤 미지의 것들이 숨어 있을까?" 그 호기심은 나를 밤새도록 새로운 AI 지식과 아이디어를 찾는 탐험가로 변모시켰습니다.

때론 고가의 강의를 들으며, 때론 무수히 많은 책들 속에서, 나는 내 질문의 답을 찾기 위해 노력했습니다. 나를 사로잡은 것은 끝없이 펼쳐지는 새로운 세계, 그리고 그 안에서 느끼는 새로운 호기심의 여정입니다.

그렇게 밤을 지새우며, 놓치고 있었던 한가지를 깨달았습니다. 모든 탐색과 학습의 여정 끝에 서서, 내린 결론은 단순했습니다. "나 자신에게 다시 제대로 된 질문을 물어보자." 내 안의 깊은 곳에서 울려 퍼지는 이 질문들은 나를 새로운 여정으로 인도해주고 있습니다.

이 책은 그 여정 기록의 일부입니다. 여기에는 새로운 세계를 향한 끝없는 탐구뿐만 아니라, 나 자신과의 대화를 나누는 시간들이 담겨 있습니다. 나와 같은 호기심을 가진 당신에게, 이 책이 자신만의 질문을 찾고, 그 답을 탐색하는 데 작은 빛이 되기를 바랍니다.

자, 이제 당신도 새로운 세계를 향한 당신만의 여정을 시작해보세요. 당신 안의 깊은 곳에서 울려 퍼지는 질문의 소리에 귀 기울이며, 그 끝에서 무엇을 발견하게 될지 기대해보세요.

인간다움과 AI의 상생 이해하기

우리가 맞이하고 있는 AI의 새벽은 단순한 기술적 발전을 넘어선 것입니다. 살고 있는 이 시대는 빠르게 변화하는 기술의 물결 속에 있습니다. 특히 인공지능(AI)은 그 변화의 중심에 서 있습니다. 이 시대의 개막은 레오나르도 다 빈치와 같은 시대를 초월한 천재의 시선으로 바라보며 시작합니다. 레오나르도의 예술과 과학에 대한 깊은 이해는 현대 AI와 어떻게 연결될 수 있는지를 탐색하는 데 중요한 영감을 제공합니다. 이러한 AI의 발전은 우리의 일상과 업무 방식, 심지어 건강관리와 자기계발에 이르기까지 모든 것에 영향을 미칩니다.

"AI는 과거의 유산과 미래의 약속을 이어주는 다리와 같다. 그것은 우리가 어떻게 생각하고, 어떻게 창조할 것인가에 대한 새로운 방향을 제시한다."

"오늘 나는 어떻게 다르게 행동할 수 있을까?"와 같은 질문은 우리가 매일의 경험을 어떻게 다르게 바라볼 수 있습니다. 다 빈치는 예술을 통해 일상을 새롭게 해석했을 것입니다. 그는 "만약 나무가 말할 수 있다면 무엇을 말할까?"와 같은 질문을 통해 자연과 대화하는 방식으로 창의력을 키웠을 것입니다.

AI가 우리 삶에 가져온 가장 큰 변화 중 하나는 의료 분야입니다. 예를 들어, AI 기반의 진단 시스템은 복잡한 데이터를 분석하여 진단의 정확성을 높이고, 개인 맞춤형 치료법을 제시합니다. 이는 의사들이 더 효과적으로 환자를 치료할 수 있도록 돕는 중요한 발전입니다. 또한, 업무 환경에서 AI는 업무 프로세스를 자동화하고, 데이터 기반의 통찰력을 제공함으로써 의사결정을 강화합니다.

좀 더 쉽게 접근해보자면 일상적인 상황에서 예상치 못한 질문을 통해 새로운 관점을 발견합니다. 예를 들어, 평범한 아침 식사에서 "이 음식을 다른 행성의 존재가 먹는다면 어떤 맛일까?" 같은 질문을 던짐으로써 창의력을 자극합니다. 일상에서 드물게 접하는 상황이나 아이디어에 대한 질문을 통해 창의력을 증진시킵니다. 예를 들어, "만약 한 달에 하루만 존재하는 가게가 있다면, 그곳에서 무엇을 팔까?"와 같은 질문이죠.

그런 가운데에서 정보의 부족이나 궁금증을 일으키는 질문을 통해 호기심을 이끌어냅니다. "우주에서 가장 멀리 떨어진 별은 어디일까?"와 같이 정보 탐색을 유도하는 질문입니다. 시간과 공간의 경계를 넘나드는 질문을 통해 상상력의 한계를 확장합니다. "만약 다른 행성에서 삶을 시작한다면, 그곳의 문화는 어떨까?"와 같은 질문으로 상상의 나래를 펼치는 것입니다.

AI 시대의 마인드셋은 변화와 적응에 대한 용기를 필요로 합니다. 레오나르도 다 빈치가 그러했듯, 우리도 미지의 영역을 탐험하는 개척자가 되어야 합니다. 우리는 AI를 이해하고, 그것과 상호작용하는 방법을 배우며, 그 과정에서 우리 자신과 우리가 속한 세계에 대해 더 많은 것을 배웁니다.

"AI는 우리의 업무를 단순화하고, 창의적인 생각을 자극한다. 그것은 우리가 더 효율적이고, 더 혁신적으로 일할 수 있게 만든다."

레오나르도의 창의성과 현대 AI의 상관관계는 우리에게 AI와 인간의 상생이 어떻게 가능한지를 탐색할 수 있는 독특한 관점을 제공합니다. 레오나르도가 예술과 과학의 경계를 허물었듯, AI는 기술과 인간의 경계를 허물고 있습니다. 이러한 AI의 발전은 우리가 AI 시대를 어떻게 받아들이고, 그 속에서 어떻게 성장할 수 있는지에 대한 중요한 인사이트를 제공합니다.

이 장은 AI의 새벽을 맞이하며 인간다움과 AI의 상생을 이해하는 여정의 시작입니다. AI와 인간이 상생할 수 있는 새로운 시대의 시작을 알립니다. 우리는 AI를 통해 인간의 삶을 더욱 풍요롭고 의미 있게 만들 수 있으며, AI의 발전이 인간의 가치와 윤리를 더욱 중요하게 만든다는 사실을 인식해야 합니다. AI 시대를 맞이하여 우리는 기술적 발전뿐만 아니라 인간 중심적 가치와 AI 기술의 조화를 추구해야 합니다. 이 책은 바로 그 여정의 시작점으로서, 독자들에게 AI 시대를 살아가는 데 필요한 새로운 마인드셋과 지침을 제공할 것입니다. AI와 인간의 상생은 단순한 공존을 넘어서, 서로를 향상시키고 발전시키는 과정이 될 것입니다.

"AI와의 여정은 끊임없는 학습과 발견의 과정이다."

1-1. AI 의 새벽:
레오나르도 다 빈치의 시선으로

"레오나르도는 시간을 초월해 우리에게 교훈을 준다. 그의 창의성은 AI 시대에 우리가 지향해야 할 혁신의 모델이다."

우리 시대의 새벽을 맞이하는 인공지능(AI)은 레오나르도 다 빈치라는 과거의 천재를 통해 새로운 관점으로 조명됩니다. 인공지능(AI)의 역사는 과학과 기술의 발전뿐만 아니라, 인류의 창의적 사고와 꿈에 대한 탐구에서도 그 뿌리를 찾을 수 있습니다. 레오나르도 다 빈치, 즉 과학과 예술의 교차점에서 AI의 발전을 조망합니다. 레오나르도 다 빈치는 그의 시대를 훨씬 앞선 생각으로 오늘날 AI의 발전에 영감을 주는 인물입니다. 그의 창의적 사고와 탐구 정신은 AI 기술이 현재 우리의 삶에 어떻게 적용되고 있는지 이해하는 데 중요한 영감을 제공합니다.

레오나르도의 영향과 현대 AI

AI의 새벽은 다 빈치가 취했던 관찰과 실험의 방식을 반영합니다. 레오나르도 다 빈치의 작업은 자연을 관찰하고 이해하는 데 중점을 두었으며, 이러한 접근 방식은 현대 AI 기술의 기반을 형성하는 데 영향을 미쳤습니다.

[예시]

● '나무의 미소'라는 상상의 그림을 통해, 나무가 느끼는 감정과 대화를 상상합니다. 이를 통해 독자들은 자연과 교감하는 새로운 방법을 발견하게 됩니다.

● 가상의 시나리오를 통해, 인간이 화성과 같은 새로운 행성에서 생존하기 위해 필요한 신체적, 정신적 변화 적응력을 탐구

합니다.

●중력이 없는 세상에서의 일상 생활을 상상하며, 기존에 당연하게 여겼던 일상의 활동들을 새롭게 조명합니다.

AI가 의료 영상을 분석하여 진단을 내리는 것은 레오나르도가 인체 해부학을 연구하며 얻은 통찰력의 현대적 확장입니다.

●다 빈치의 해부학적 연구는 현대 컴퓨터 비전과 패턴 인식 기술의 선구자로 볼 수 있습니다. 그의 작품에서 보여지는 섬세한 관찰력과 정밀한 표현은 AI가 인간의 얼굴 인식, 감정 분석 등에 적용될 때 중요한 역할을 합니다.

●다 빈치의 창의력과 AI 기술 사이의 상관관계는 혁신적인 사고방식이 어떻게 현대 기술에 적용될 수 있는지를 보여줍니다. 다 빈치가 자연과 인간에 대한 깊은 관찰을 통해 예술과 과학의 경계를 넘나들었듯이, 현대 AI는 데이터 분석과 패턴 인식을 통해 새로운 창의적 가능성을 열어줍니다.

"AI는 다 빈치의 꿈을 현실로 만드는 매개체이다. 그것은 창의적 발상과 기술적 실현 사이의 다리를 놓는다."

AI가 어떻게 현대 사회에 깊이 통합되고 있으며, 그것이 우리 삶에 어떤 변화를 가져오고 있는지 탐구합니다. AI의 발전은 우리가 세상을 인식하고, 문제를 해결하는 방식에 근본적인 변화를 가져오고 있습니다. 다 빈치의 시선으로 볼 때, AI는 단순한 기술 이상의 것입니다.

"AI는 레오나르도의 호기심을 기술로 재해석한다. 그것은 우리의 이해를 넓히고, 새로운 해답을 찾는 데 도움을 준다."

레오나르도 다 빈치의 사고와 현대 AI의 접목

다 빈치의 창의적 사고방식은 AI의 다양한 영역에서 적용될 수 있습니다. 예를 들어, 그의 복합적 사고 방식은 AI의 문제 해결 능력을 향상시키는 데 영감을 줍니다. 다 빈치가 예술과 과학을 융합하여 복잡한 문제에 접근한 것처럼, AI도 다양한 데이터 소스와 알고리즘을 결합하여 보다 복잡한 문제를 해결할 수 있게 되었습니다.

[사례 예시]

●현대 예술가가 식물의 생장 패턴을 기반으로 한 설치 미술작품을 만들어, 관람객들에게 자연과의 소통을 경험하게 하는 사례를 소개합니다.

●NASA의 화성 탐사 계획과 이를 위한 인간 적응 연구를 소개하여, 과학적 호기심을 자극합니다.

●우주정거장에서의 생활을 소개하며, 중력이 없는 환경에서 인간이 어떻게 적응하는지를 탐구합니다.

●한 AI 기술 스타트업은 다 빈치의 그림 기법을 연구하여, 그의 스타일을 모방하는 AI 알고리즘을 개발했습니다. 이를 통해 사용자들은 자신의 사진을 다 빈치 스타일의 작품으로 변환할 수 있게 되었습니다. 이러한 기술은 단순한 재미를 넘어서, 예술과 기술의 상호작용을 탐구하는 데 기여합니다.

●건축 분야에서 AI를 활용한 디자인 툴이 개발되고 있는데, 다 빈치의 원리를 바탕으로 건물의 구조적 안정성과 미적 아름다움을 동시에 고려합니다. 이를 통해 건축가들은 보다 창의적이고 혁신적인 디자인을 실현할 수 있게 되었습니다.

●AI의 발전과 현재 우리의 삶에 대한 심도 있는 탐구를 제공하며, 레오나르도 다 빈치의 창의성과 현대 AI 기술 사이의 상호작용을 이해하는 데 필요한 통찰력을 제공합니다. 이를 통해, 우리는 AI 시대에 필요한 새로운 마인드셋을 개발하고, AI와 인간의 상생을 모색하는 방법을 배울 수 있습니다. AI와 인간의 상호 작용에 대한 깊이 있는 이해와 새로운 시대에 대비하는 마인드셋을 갖추는 데 필수적인 기초를 마련합니다.

●레오나르도 다 빈치의 영향력은 현대 AI 기술의 발전으로 인하여 그의 창의성과 탐구 정신은 AI가 인간 삶의 다양한 영역에서 어떻게 적용될 수 있는지를 보여줍니다. AI 기술이 단순한

계산이나 자동화를 넘어서, 인간의 창의력과 직관을 확장하는 도구로서 어떻게 활용될 수 있는지 이해할 수 있습니다. 레오나르도 다 빈치의 시대를 넘어, 우리는 그의 사고방식을 통해 AI의 무한한 가능성을 탐구하고, 현대 사회에 적용할 수 있는 새로운 방법을 모색할 수 있습니다.

"AI는 인간의 창의력과 결합될 때 가장 강력하다. 그것은 과거의 지혜와 현대의 혁신이 만나는 지점이다."

1-2. 레오나르도의 창의성과 현대 AI의 우리의 삶

"레오나르도의 창의성은 시간을 초월해 오늘날 AI와 만나, 우리 삶의 새로운 가능성을 탐색한다."

레오나르도 다 빈치는 인류 역사상 가장 창의적인 인물 중 하나로 꼽힙니다. 그의 창의적 사고는 예술, 과학, 기술 분야에 걸쳐 혁신적인 아이디어를 낳았습니다. 현대의 인공지능(AI) 기술은 이와 같은 창의성을 어떻게 반영하고 있을까요? 이 장에서는 레오나르도의 창의성과 현대 AI 기술 사이의 상관관계를 탐색하며, 과거와 현재의 창의적 접근을 비교합니다.

레오나르도의 창의성과 AI 기술의 융합

"AI는 과거의 예술과 현재의 기술이 만나는 지점에서 우리의 상상력을 불러일으킨다."

레오나르도 다 빈치의 시대를 초월한 창의력과 현대 AI 기술의 상호작용은 우리 삶에 깊은 영향을 미치고 있습니다. 이 결합은 AI 기술이 우리의 일상, 업무, 창조적 활동에 어떻게 영향을 미치고 있는지를 이해해야 합니다. 이는 AI가 우리 삶의 모든 영역에 미치는 영향을 깊이 있게 바라봅니다.

레오나르도는 시간을 넘어 우리에게 영감을 주며, 그의 창의력은 AI의 발전과 어우러져 우리 삶을 새롭게 조명하고 있습니다. 레오나르도의 작품과 아이디어는 놀랍도록 혁신적이었으며, 그의 창의적 방법론은 오늘날 AI 개발에 많은 영감을 제공합니다.

[예시]

●AI는 미술 분야에서도 혁신을 가져오고 있습니다. AI 기반의 알고리즘이 미술 작품의 스타일을 분석하고, 새로운 예술 작품을 창조하는 데 사용되고 있습니다.

●AI는 교육 분야에서도 중요한 역할을 하고 있습니다. 개인화된 학습 경험을 제공하고, 학습자의 진행 상황을 분석하여 맞춤형 교육 콘텐츠를 제시합니다.

"AI는 예술의 경계를 확장하고, 레오나르도의 창의적 정신을 현대적 언어로 번역한다."

창의성의 시대적 변화 및 미래 방향성

이와 유사하게, AI 기술은 과거의 창의적 아이디어를 현대적 맥락에서 재해석하고 실현하는 데 중요한 역할을 합니다. 과거의 창의적 사고와 현대 AI 기술 사이에는 중요한 차이점이 있습니다. 레오나르도 시대의 창의성은 개인의 직관과 경험에 크게 의존했습니다. 반면, 현대 AI 기술은 대규모 데이터와 알고리즘을 기반으로 창의적 결과를 도출합니다. 이러한 차이는 과거와 현재의 창의적 접근 방식을 비교하며 이해할 수 있습니다. 이는 레오나르도가 과학적 관찰을 바탕으로 창조한 예술 작품과 유사한 현대적 혁신입니다. 또한, 이는 레오나르도 다 빈치가 자신만의 방식으로 지식을 탐구하고 전달한 방식의 현대적 확장입니다.

"AI는 학습의 방식을 재정의하고, 레오나르도가 추구했던 지식의 깊이와 다양성을 현실로 만든다."

AI 기술이 우리 삶에 어떻게 통합되고 있는지, 그리고 그것이 레오나르도 다 빈치의 창의적 사고와 어떻게 상호작용하는지에 대해 깊이 있게 탐구합니다. AI는 단순한 기술을 넘어, 우리의 창의력과 상상력을 확장하는 데 중요한 역할을 합니다. 우리는 AI와 인간의 상생을 이해하고, 새로운 시대에 적응하는 데 필요한 마인드셋을 개발하는 데 도움을 줄 것입니다.

[실습 예시]

●현대의 한 디자인 회사는 AI를 사용하여 고객의 취향과 트렌드를 분석하고, 이를 바탕으로 맞춤형 디자인을 제안합니다. 이 과정에서 AI는 대량의 데이터를 분석하여 고객에게 적합한 디자인을 창출합니다. 이는 레오나르도의 직관적 창의성과는 대조되는 현대적 창의성의 예입니다.

●그의 '비행기' 개념은 현대 드론 기술의 선구자로 볼 수 있습니다. 이와 유사하게, AI 기술은 과거의 창의적 아이디어를

현대적 맥락에서 재해석하고 실현하는 데 중요한 역할을 합니다.

●AI를 활용하여 레오나르도의 미완성 작품을 완성하는 프로젝트가 있습니다. 이 프로젝트는 AI를 통해 레오나르도의 스타일과 기법을 분석하고, 그가 남긴 스케치를 바탕으로 완성된 작품을 창조합니다. 이는 과거의 예술적 창의성과 현대 기술의 융합을 보여주는 사례입니다.

"레오나르도의 시선으로 AI를 바라보면, 기술은 예술이 되고, 삶은 그림이 된다."

　●레오나르도 다 빈치의 창의성과 현대 AI 기술 사이의 상관관계는 과거와 현재의 창의적 접근 방식을 이해하는 데 중요한 통찰을 제공합니다. 레오나르도의 시대를 넘어, 우리는 그의 창의적 정신을 현대 기술에 접목시켜 새로운 형태의 창의성을 탐구할 수 있습니다. 이러한 탐구는 미래 AI 기술의 발전 방향을 제시하며, 인류의 창의적 잠재력을 새롭게 확장할 것입니다. AI와 인간의 창의성이 상호작용하며 발전하는 이 과정은 우리가 더욱 혁신적이고 창의적인 미래를 만들어가는 데 결정적인 역할을 할 것입니다.
"AI와 레오나르도의 창의성은 우리 삶의 캔버스에 새로운 색을 칠하며, 미래의 혁신을 그린다."

[제2장]
AI시대의 마인드셋과 그 중요성

"AI 시대의 마인드셋은 변화의 바람 속에서 균형을 찾고, 미래를 향한 우리의 접근 방식을 새롭게 정의한다."

인간 감성과 AI 기술의 결합의 중요성

AI 시대를 살아가는 데 있어, 인간의 감성과 AI 기술의 조화는 필수불가결한 요소입니다. 이 장에서는 AI 마인드셋 변화를 통해 인간의 감성과 AI 기술을 어떻게 조화롭게 통합할 수 있는지, 그리고 그러한 통합이 우리 삶에 어떤 긍정적인 변화를 가져올 수 있는지에 대해 알아봅니다. 인간의 감성적 요소와 AI의 분석적 능력 사이의 균형을 맞추는 것은 새로운 도전이자 기회입니다.

"AI는 교육을 변화시키며, 학습자 개개인에게 최적화된 경험을 제공한다."

이러한 AI 시대의 마인드셋은 상상에서 현실로의 전환을 의미합니다. AI 기술은 창의적인 아이디어를 현실의 솔루션으로 전환하는 데 중요한 역할을 합니다. 또한, AI 시대의 마인드셋은 상상에서 현실로의 전환을 의미합니다. AI 기술은 창의적인 아이디어를 현실의 솔루션으로 전환하는 데 도움을 줍니다. 이는 디자인, 건축, 엔터테인먼트 등 다양한 분야에서도 AI는 창작 과정에 혁신을 가져오고 있습니다.

"AI는 우리의 상상력을 현실로 전환하는 도구이며, 창의적인 발상을 실제적인 결과로 만들어낸다."

AI와의 상생은 단순한 기술 수용을 넘어, 새로운 사고방식과 접근 방법을 필요로 합니다.

"AI 시대의 마인드셋은 우리가 미래에 대한 준비를 강화하고, 새로운 형태의 리더십과 창조적인 해결책을 모색하는 기반이 된다."

AI 시대에 필요한 마인드셋을 개발하는 데 필요한 인사이트와 도구를 제공합니다. AI와의 상생을 통해 우리는 미래에 대비하고, 현재의 도전을 극복하며, 새로운 기회를 탐색하는 데 필요한 마인드셋을 갖추게 됩니다.

2-1. 인간 감성과 AI 기술의 조화를 추구하는 마인드셋

"AI와 인간의 조화는 미래의 심포니를 작곡하는 것과 같다. 각기 다른 두 세계가 조화롭게 어우러져 새로운 음악을 만들

어낸다."

일상에서 질문을 하는 이유는 우리가 경험하는 세계를 재해석하고, 일상의 소소한 순간에도 새로운 가치를 발견할 수 있기 때문입니다.

"오늘 내가 무엇을 새롭게 배웠나?", "내가 마주한 문제를 AI는 어떻게 해결할까?"와 같은 질문은 일상을 새롭게 바라보는 창을 열어줍니다. 인간 감성에서는 좀 더 자신의 진정한 자아를 발견하기 위한 질문들을 다시금 내면에게 물어봅니다.

"내가 진정으로 열정적인 것은 무엇인가?", "나를 가장 잘 표현하는 세 가지 단어는 무엇인가?"와 같은 질문을 통해 자신의 가치와 열정을 탐색하고, 자신의 정체성을 깊이 이해할 수 있습니다.

목표 설정과 달성을 위한 구체적인 질문 방법은 "나의 이번 해 목표는 구체적으로 무엇인가?", "이 목표를 달성하기 위해 나는 어떤 행동을 취해야 하는가?"와 같은 질문을 통해, 자신의 목표를 명확히 하고, 달성을 위한 실질적인 계획을 세울 수 있습니다.

실패와 성공의 경험을 다시 생각해보며, 그로부터 배우는 질문들을 통해 "내가 경험한 가장 큰 실패에서 배운 점은 무엇인가?", "나의 성공 경험에서 나는 어떤 패턴을 발견할 수 있는가?" 등의 질문은 과거의 경험을 바탕으로 미래의 성공을 위한 교훈을 얻게 합니다.

매일의 삶을 성찰하고 자기 인식을 높이기 위한 질문들은 "오늘 내가 경험한 가장 의미 있는 순간은 무엇인가?", "내가 오늘 누군가에게 어떻게 도움이 되었나?"와 같은 질문은 매일의 경험을 반성하고, 삶을 보다 깊이 이해하는 데 도움을 줍니다.

위와 같은 인간의 감성을 느낄 수 있는 질문들을 되새겨보고, 이후에 AI 마인드셋 무기를 장착해야 합니다. 인공지능(AI) 기술의 급속한 발전과 인간 감성 사이의 불일치는 오늘날 많은 분야에서 중요한 도전 과제이기 때문입니다. AI 기술과 인간 감성 사이의 언매칭 문제를 인식하고, 이를 극복하기 위한 실질적인 방안을 모색합니다.

이 문제를 해결하는 것은 AI를 더 효과적이고 인간 친화적으로 만들며, 동시에 인간의 감성적 필요를 충족시키는 데 중요합니다.AI 시대를 살아가는 데 있어, 인간의 감성과 AI 기술의 조화는 필수불가결한 요소입니다. AI 시대의 핵심적인 도전 중 하나는 인간의 감성과 AI 기술의 조화를 이루는 것입니다. 이 조화는 기술의 발전과 인간의 본질 사이의 균형을 찾는 과정입니다.

[예시]

●고객 서비스 분야에서 AI와 인간의 상호작용은 중요한 변화를 가져왔습니다. AI 챗봇은 고객 질문에 신속하고 효율적

으로 대응할 수 있으나, 이와 동시에 인간 고객 서비스 담당자의 공감과 이해는 고객 만족도를 높이는 데 중요한 역할을 합니다.

●감성 인식 AI를 활용하여 고객의 반응을 분석하는 연습을 합니다. 이를 통해, 고객 서비스 팀은 고객의 불만이나 요구를 더욱 정확하게 파악하고, 맞춤형 솔루션을 제공할 수 있습니다.

●AI를 활용하여 직원들의 업무 스트레스 수준을 모니터링하고, 이를 바탕으로 웰빙 프로그램을 제공합니다. 이를 통해 직원들의 업무 만족도와 생산성이 향상되었습니다.

"AI는 고객의 요구를 신속하게 처리하지만, 인간의 따뜻함과 이해는 고객 경험을 완전히 다른 차원으로 끌어올린다."

언매칭 극복을 위한 접근법

AI 기술과 인간 감성의 조화를 이루기 위해서는 두 분야 간의 상호 이해와 통합이 필요합니다. 이를 위해 AI 개발자들은 인간의 감성적 반응을 이해하고 예측하는 데 필요한 알고리즘을 개발해야 합니다. 동시에, 사용자들은 AI의 한계를 이해하고, 그것을 인간의 감성적 필요와 결합하는 방법을 배워야 합니다. 언매칭 문제를 극복하기 위해서는 인간 중심의 디자인 접근법이 필요합니다. 이 접근법은 사용자의 감성적 필요와 AI 기술의 기능을 조화롭게 통합하는 데 중점을 둡니다.

[실습 예시]

● 감성 인식 기술을 사용하여 사용자의 반응을 분석하는 워크샵을 개최합니다. 참가자들은 AI가 자신의 감정을 어떻게 인식하고 반응하는지 직접 경험하고, 그 과정에서 AI와 인간 감성 사이의 상호작용을 이해하게 됩니다.

● 금융 기관은 감성 인식 AI를 도입하여 고객의 감정을 파악하고, 그에 맞는 맞춤형 금융 상담 서비스를 제공합니다. 이 시스템은 고객의 불안이나 의문을 감지하고, 그에 따른 설명을 제공하여 고객 만족도를 높입니다.

인간 감성과 AI의 상호작용

인간의 감성은 복잡하고, 때로는 예측 불가능한 특성을 가지고 있습니다. 반면, AI는 데이터와 알고리즘을 기반으로 한 결정을 내립니다. 이 두 요소의 결합은 새로운 형태의 문제 해결 방식과 창의적 아이디어를 만들 수 있습니다. AI와 인간의 조화를 추구하는 마인드셋은 창조적인 분야에서도 중요한 의미를 가집니다. 예술가들은 AI를 사용하여 새로운 아이디어를 탐색하고, 창작 과정을 향상시키며, 독특한 예술 작품을 창조합니다.

"AI는 예술가의 브러시가 되어 그들의 창조적 비전을 현실로 만들어낸다. 이는 인간의 창의력과 기계의 능력이 만나는 점에서 새로운 예술의 형태를 탄생시킨다."

마인드셋의 변화와 적용 및 미래를 향한 발걸음

인간 감성과 AI 기술의 조화를 위해서는 기존의 마인드셋에서 벗어나 새로운 사고방식을 수용해야 합니다. 이는 기술에 의존하는 것뿐만 아니라, 인간의 감성적 측면을 중요하게 여기는 태도를 포함합니다. 기업이나 조직에서는 이러한 변화를 위해 AI 교육과 인간 중심의 접근 방식을 도입해야 합니다.

인간 감성과 AI 기술의 조화는 AI 시대를 살아가는 데 있어 필수적인 요소입니다. 인간 감성과 AI 기술이 어떻게 상호작용하며, 이러한 상호작용이 어떻게 새로운 가치와 기회를 창출하는지 이해할 수 있습니다. 인간과 기술의 조화는 단순한 기술적 통합을 넘어서, 우리의 생각과 마인드셋에 깊은 변화를 가져올 것입니다.

이것은 AI 시대를 살아가는 데 필요한 새로운 시각과 전략을 제공하며, 미래를 위한 준비를 강화하는 방법을 알려줄 것입니다. AI 시대에 필요한 마인드셋을 개발하고, AI와 인간의 조화를 추구하는 마인드셋은 우리가 미래에 대비합니다. 현재의 도전을 극복하여 새로운 기회를 탐색하는 데 필요한 중요한 기초가 됩니다. 이러한 변화를 통해 우리는 더욱 인간적이면서도 혁신적인 미래를 만들어 갈 수 있습니다.

AI 기술과 인간 감성의 조화는 우리 시대의 중요한 과제입니다. 기술과 감성의 불일치를 극복하는 방법을 이해하고, 이를 자신의 분야에 어떻게 적용할 수 있는지 배울 수 있습니다. 인간 중심의 AI 접근법은 기술이 인간의 삶을 보다 풍요롭게 만드는 데 핵심적인 역할을 할 것입니다. 이러한 접근법을 통해 우리는 더욱 진보적이고 인간 친화적인 미래를 향해 나아갈 수 있습니다.

"인간과 AI의 조화는 미래 사회의 발전을 위한 새로운 경로를 제시한다. 이 경로는 기술과 인간성 사이의 균형을 찾고, 더 나은 미래를 위한 토대를 마련한다."

2-2. 레오나르도 다 빈치와 현대 AI: 상상에서 현실로

"레오나르도의 꿈은 AI를 통해 현실의 캔버스에 그려진다. 그것은 과거의 상상력과 현재의 기술이 만나는 지점이다."

레오나르도 다 빈치의 상상력과 현대 AI의 현실화

레오나르도 다 빈치의 상상력과 현대 AI 기술 사이의 연결 고리를 탐구합니다. 레오나르도는 그의 시대를 훨씬 앞서가는 상상력으로 다양한 발명품과 예술 작품을 구상했습니다. 이러한 상상력은 오늘날 AI 기술의 발전과 맞닿아 있으며, 상상에서 현실로의 변화 과정을 통해 우리는 인간의 창조적 잠재력의 진화를 목격합니다. 레오나르도 다 빈치의 시대를 초월한 비전과 현대 AI 기술의 결합은 상상에서 현실로의 여정을 상징합니다.

상상력에서 기술 혁신으로

레오나르도의 작업 방식은 현대 AI의 핵심 원리와 많은 유사점을 가지고 있습니다. 그의 다방면에 걸친 호기심과 실험적 접근 방식은 AI가 다양한 분야에서 창조적인 해결책을 찾는 데 영감을 주며, 그의 아이디어와 오늘날의 AI 기술은 상상력의 힘을 기술 혁신으로 변환하는 과정을 보여줍니다.

[예시]

● 그의 로봇에 대한 아이디어는 오늘날 로보틱스와 AI 기술에 영감을 주었습니다.

● 건축 분야에서 AI는 복잡한 구조적 문제를 해결하고, 지속 가능한 디자인을 개발하는 데 사용됩니다.

●AI를 활용한 예술 작품 생성 소프트웨어는 레오나르도의 예술적 기법을 분석하여 새로운 예술 작품을 창조합니다. 이는 과거의 예술과 현대 기술의 결합을 통해 새로운 형태의 예술을 탄생시키는 예입니다.

"AI는 레오나르도의 건축적 비전을 현대적 언어로 해석하며, 불가능해 보이던 구조를 현실화한다."

AI는 레오나르도의 창의적 사고를 현대적 맥락에서 재해석하며, 이는 특히 예술 세계에서 두드러집니다. AI는 레오나르도가 상상했을 법한 새로운 예술 형태를 창조하며, 이는 그의 그림과 발명품에서 영감을 받습니다.

레오나르도 다 빈치의 창의성과 현대 AI 기술이 어떻게 상호작용하여 상상을 현실로 만들어내는지에 대해 알아보며, 이러한 상호작용은 우리가 AI를 활용하여 미래를 구상하고, 미래 사회의 문제를 해결하는 데 필수적인 역할을 합니다.

[예시 질문]

(1) "AI가 이 문제를 어떻게 해결할 수 있을까?"

(2) "이 상황에서 AI 데이터 분석이 어떻게 새로운 통찰을 제공할 수 있을까?"

(3) "이 아이디어를 실현하기 위해 AI를 어떻게 활용할 수 있을까?"

(4) "AI 기술을 통해 이 프로젝트의 효율성을 어떻게 높일 수 있을까?"

(5) "AI 도구가 팀의 소통과 협업을 어떻게 개선할 수 있을까?", (6) "다양한 팀원의 아이디어를 AI를 통해 어떻게 통합할 수 있을까?"

(7) "AI 변화에 적응하기 위해 우리 팀이나 조직에서 필요한 것은 무엇인가?"

(8) "기술 변화에 따라 우리의 업무 방식은 어떻게 바꿀까?"

"AI는 예술의 경계를 확장하고, 레오나르도의 창의력을 현대의 새로운 창조로 전환한다."

AI 시대에 필요한 마인드셋을 개발하는 데 도움을 주며, 레오나르도 다 빈치의 창의성과 현대 AI 기술이 어떻게 상호작용하는지를 알 수 있습니다. 이러한 이해는 AI와 인간의 상생을 모색하고, 미래를 위한 새로운 리더십과 전략을 개발하는 데, 미래를 위한 새로운 시각과 전략을 AI 시대를 살아가는 데 필요한 중요한 통찰력을 제공합니다.

현대 AI 기술의 발전과 적용

현대의 AI 기술은 레오나르도의 상상력을 실현하는 데 중요한 역할을 합니다. AI와 머신러닝은 예술, 디자인, 의학 등 다양한 분야에서 인간의 창조적 역량을 확장하고 있습니다. 이러한 기술의 발전은 레오나르도의 시대에는 상상조차 할 수 없었던 새로운 창조적 가능성을 열어줍니다.

"레오나르도의 시대를 초월한 창의력과 현대 AI의 결합은 우리에게 미래를 상상하고 구현하는 새로운 방법을 제시한다."

상상과 현실의 경계를 넘어서

레오나르도 다 빈치의 상상력과 현대 AI 기술의 결합은 인간의 창조적 잠재력이 어떻게 무한한 가능성으로 확장될 수 있는지를 보여줍니다. 과거의 상상과 현대의 현실 사이의 경계를 넘어서는 창조적 과정을 이해하고, 자신의 분야에서 이를 어떻게 적용할 수 있는지 배울 수 있습니다. 레오나르도의 상상에서 출발한 현대 AI 기술의 발전은 우리가 상상하는 것 이상의 혁신과 창조를 가능하게 할 것입니다.

레오나르도의 발명품을 연구하고, 그 아이디어를 현대 기술로 구현하는 프로젝트를 수행합니다. 이를 통해, 창의적 사고와 기술 혁신의 관계를 이해할 수 있습니다.

[제3장]
AI 마인드셋의 이해
: 새로운 사고의 시작

"AI 시대를 살아가는 데 있어 가장 중요한 것은 기술을 넘어서는, 새로운 차원의 사고방식을 갖추는 것이다. 이것은 우리가 세상을 바라보는 방식을 혁신적으로 변화시킬 수 있다."

AI에 대한 일반적인 오해

AI에 대한 오해는 종종 기술에 대한 두려움과 불확실성에서 비롯됩니다. 많은 사람들이 AI를 일자리를 위협하는 요소, 복잡하고 이해하기 어려운 기술로 인식하고 있습니다. 이 장에서는 AI에 대한 이러한 오해를 해소하고, AI 시대를 살아가는 데 필요한 새로운 마인드셋을 개발하는 방법을 알아봅니다.

"AI 마인드셋을 갖춘 도시 계획가들은 기술을 활용하여 더 지속 가능하고 효율적인 도시를 설계한다."

AI 마인드셋은 기존의 사고방식을 넘어서, 기술과 인간의 상호작용을 새로운 관점에서 바라보는 것을 의미합니다. 이러한 사고방식은 혁신과 창의력을 촉진하고, AI 기술을 통해 가능한 새로운 해결책을 모색하는 데 중요합니다.

AI 마인드셋의 핵심은 변화를 수용하고, 적응하는 능력입니다. 이는 끊임없이 변화하는 기술 환경에서 필수적인 자질로, 우리가 AI와 함께 성장하고, 새로운 기회를 포착하는 데 도움을 줍니다.

"AI 시대의 리더는 변화에 유연하고, 지속적인 학습과 적응의 중요성을 이해한다."

AI 마인드셋의 중요성

이 장은 AI 마인드셋이 개인과 조직에 어떠한 긍정적인 영향을 미칠 수 있는지에 대해 심도 있게 탐구합니다. AI 기술의 발전과 함께, 이 마인드셋은 우리가 미래의 도전을 극복하고, 새로운 가능성을 실현하는 데 필수적인 역할을 합니다. 마인드셋을 갖추는 것은 우리가 미래의 도전에 대응하고, 새로운 기회를 창출하는 데 필수적이며, 미래를 위한 새로운 시각과 전략을 알려줄 것입니다.

"AI 마인드셋은 미래를 향한 우리의 여정에서 나침반이 되며, 끊임없이 변화하는 세상에서 방향을 제시한다."

3-1. 인간 중심의 AI 이해 및 새로운 사고 방식 개발

"AI 시대에는 기술이 인간을 따르는 것이 아니라, 인간이 기술과 조화를 이루어야 한다. 이것은 인간 중심의 AI 이해를 바탕

으로 한 새로운 사고방식의 시작이다."

인간 중심의 AI 접근법은 기술을 단순한 도구로 보는 것이 아니라, 인간의 삶을 향상시키는 파트너로 인식하는 것입니다. 예를 들어, 교육 분야에서 AI는 학생들의 개별 학습 스타일과 속도에 맞추어 교육 내용을 조정하는 데 사용됩니다.

"AI는 교육을 개인화하고, 각 학생의 잠재력을 최대한 발휘할 수 있도록 돕는다."

AI에 대한 실질적 이해와 마인드셋 개발

AI의 본질적인 이해는 두려움을 극복하고 기술을 효과적으로 활용하는 첫걸음입니다. AI는 단순히 자동화된 기계가 아니라, 인간의 능력을 보완하고 확장하는 도구로서의 잠재력을 가지고 있습니다. 이를 이해하는 것은 AI 기술을 두려워하는 대신, 그것을 우리의 삶과 업무에 유용하게 적용하는 데 도움이 됩니다. AI 시대에 접어들면서 필요한 새로운 사고방식, 즉 'AI 마인드셋'입니다.

[실습 템플릿]

AI 기술의 기본 원리를 이해하고, 일상적인 문제 해결에 AI를 어떻게 적용할 수 있는지 탐색하는 세미나를 개최합니다. 참가자들은 AI 기술을 이해하고, 실제 사례를 통해 그것을 자신의 분야에 적용하는 방법을 배웁니다.

AI 마인드셋으로의 전환

AI 마인드셋으로의 전환은 AI 기술에 대한 긍정적인 태도와 그것을 창의적으로 활용할 수 있는 능력을 포함합니다. 이는 기술에 대한 깊은 이해와 함께 인간 중심적 접근 방식을 필요로 합니다. AI 기술이 인간의 일상과 업무에 어떻게 유용하게 적용될 수 있는지에 대한 이해는 AI 시대를 살아가는 데 필수적입니다.

[사례 예시]

● AI 기반의 고객 서비스 시스템을 도입하여 고객 문의에 더 빠르고 효율적으로 대응합니다. 이 시스템은 고객의 요구를 분석하고, 가장 적합한 답변을 제공함으로써 고객 만족도를 높였습니다.

● 도시 계획에서 AI는 교통 흐름 최적화, 에너지 효율성 개선, 지속 가능한 개발과 같은 복잡한 문제를 해결하는 데 기여합니다.

이러한 새로운 사고방식은 AI 기술의 발전과 그것이 사회에 미치는 영향을 이해하는 데 중요합니다. AI는 데이터를 분석하고 예측하는 능력을 통해 비즈니스, 의료, 환경 보호 등 다양한 분야에서 혁신을 가져오고 있습니다.

"AI는 문제 해결의 새로운 방법을 제시하고, 인간의 능력을 확장시킨다."

AI 기술이 인간의 삶에 어떻게 통합될 수 있는지, 그리고 이것이 우리의 일상과 사회에 어떤 긍정적인 변화를 가져올 수 있는지에 대해 탐구합니다. 인간 중심의 AI 접근법은 기술과 인간 간의 조화로운 상호작용을 가능하게 하며, 이를 통해 새로운 사고방식을 개발하는 것이 중요합니다. 이는 AI와의 상생을 이해하고, 새로운 시대에 적응하는 데 필요한 마인드셋을 갖추는 것이며, 우리가 미래의 도전에 대응하고, 새로운 기회를 창출합니다.

AI에 대한 오해를 극복하고 실제로 그것을 효과적으로 활용하는 것은 AI 시대를 살아가는 데 필수적인 요소입니다. 이 장을 통해 독자들은 AI에 대한 올바른 이해를 바탕으로 한 새로운 마인드셋을 개발할 수 있습니다. AI 기술을 이해하고, 그것을 인간 중심적 방식으로 활용함으로써 우리는 더 풍요롭고 효율적인 미래를 만들어 갈 수 있습니다. AI 시대를 성공적으로 살아가기 위해서는 이러한 마인드셋의 변화가 필수적입니다.

"인간 중심의 AI 이해는 우리가 기술을 사용하여 더 나은 미래를 만드는 데 필수적인 역할을 한다."

3-2. 변화를 수용하는 태도의 중요성

"AI 시대는 끊임없는 변화의 연속이다. 이 변화의 파도를 타기 위해서는 수용하는 태도가 필수적이다. 변화를 두려워하는 대신 이를 기회로 활용하는 것이 우리의 도전이자 기회다."

변화에 대응하는 현대 사회의 도전

현대 사회는 끊임없이 변화하고 있으며, 이러한 변화의 속도는 점점 빨라지고 있습니다. 많은 사람들이 이 변화의 속도에 적응하기 위해 고군분투하고 있습니다. 변화에 빠르게 적응하는 방법과 이를 위해 필요한 마인드셋에 대해 배웁니다. 특히, 레오나르도 다 빈치의 사례를 통해 변화를 수용하고 혁신하는 태도의 중요성을 강조합니다.

변화에 적응하는 능력 개발

변화에 효과적으로 대응하기 위해서는 유연한 사고방식과 끊임없는 학습이 필요합니다. 새로운 기술과 아이디어를 빠르게 받아들이고 이를 활용하는 능력은 현대 사회에서 성공의 핵심 요소입니다. 이러한 능력은 개인과 조직 모두에게 중요하며, 지속적인 교육과 실습을 통해 개발될 수 있습니다.

[실습 템플릿]

변화 관리 워크숍을 개최하여 참가자들이 새로운 기술과 트렌드에 대해 배우고, 이를 실제 사례에 적용하는 방법을 탐색합니다. 참가자들은 그룹 활동을 통해 다양한 시나리오에서 변화에 적응하는 전략을 개발하고 테스트합니다.

[실습 템플릿 예시]

[실습 템플릿] 변화 관리 워그숍

목적

이 워크숍은 참가자들에게 변화 관리의 중요성을 인식시키고, 새로운 기술 및 트렌드에 대응하는 실질적인 전략을 개발하는 데 도움을 주기 위해 설계되었습니다.

대상

기업 직원, 경영진 및 팀 리더, 혁신에 관심 있는 개인

워크숍 개요

- **기간:** 1일 (6시간)

- **형식:** 대면 또는 온라인 워크숍

- **도구:** 프레젠테이션, 워크시트, 실습 키트, 온라인 협업 툴 (Zoom, Slack 등)

- **세션 구성**

1. 변화 관리 이론 소개 (1시간)

변화 관리의 중요성과 기본 원리 소개

새로운 기술과 트렌드의 현황 및 영향 분석

2. 실습 준비 및 팀 구성 (30분)

- 참가자들을 소그룹으로 나누기

- 각 그룹에 주어질 실습 시나리오 설명

3. 그룹 활동: 시나리오 기반 전략 개발 (2시간)

- 각 그룹은 주어진 시나리오에 따라 변화 대응 전략을 개발

- 시나리오 예시: 디지털 전환, 새로운 시장 트렌드 대응, 기술 혁신 도입 등

4. 프레젠테이션 및 피드백 (2시간)

- 각 그룹은 자신들의 전략을 다른 참가자들에게 발표

- 강사 및 다른 그룹으로부터 피드백 받기

5. 종합 토론 및 마무리 (30분)

- 워크숍에서 배운 내용과 경험 공유

- 변화 관리에 대한 종합적인 이해 및 향후 적용 방안 논의

- **실습 시나리오 샘플:** 디지털 전환 전략 개발

- **배경:** 기존의 전통적 비즈니스 모델을 디지털로 전환해야 하는 중소기업

- **목표:** 디지털 전환을 통해 비즈니스 효율성 증대 및 고객 경험 개선

- **과제:** 디지털 전환 전략 수립, 필요한 기술과 자원 파악, 잠재적 장애물 극복 방안 개발

- **발표 내용:** 전략적 접근 방법, 예상되는 도전과제, 해결 방안, 기대 효과

- **필요 자료**

(1) 워크숍 프레젠테이션 자료

(2) 변화 관리 이론 및 실습 가이드북

(3) 그룹 활동 워크시트 및 실습 키트

(4) 온라인 협업 도구 접속 정보

이 워크숍은 참가자들에게 변화 관리의 이론적 지식과 실질적인 전략 개발 기회를 제공합니다. 실습을 통해 각 참가자는 변화에 대응하는 새로운 방법을 배우고, 실제 업무 상황에 적용할 수 있는 구체적인 전략을 개발할 수 있습니다.

AI와 디지털 기술의 급속한 발전은 일상과 업무 환경에 지속적인 변화를 가져옵니다. 많은 사람들이 이러한 변화에 대해 저항감을 느낄 수 있으며, 이는 새로운 기술을 받아들이는 데 장애가 될 수 있습니다. 이러한 변화를 수용하는 태도가 왜 중요한지, 그리고 그러한 태도를 개발하는 방법을 알아봅니다.

변화 수용의 마인드셋 구축

변화를 수용하는 태도는 불확실한 미래에 대한 준비를 의미하며, 지속 가능한 성장과 혁신의 기반이 됩니다. 이러한 태도는 변화를 위협이 아닌 기회로 보고, 새로운 상황에 유연하게 적응하는 능력을 포함합니다. 이를 위해서는 새로운 기술과 방법에 대한 지속적인 학습과 실험이 필요합니다.

[예시]

비즈니스 세계에서 기업들은 AI를 활용하여 시장 변화에 신속하게 대응하고, 새로운 비즈니스 모델을 개발합니다.

[실습 템플릿]

AI 기술을 활용한 혁신적인 프로젝트 기획 및 실행 워크숍을 마련합니다. 참가자들은 팀을 이루어 AI 기술을 활용하여 구체적인 비즈니스 문제를 해결하는 프로젝트를 기획하고 실행합니다. 이 과정을 통해 참가자들은 변화에 대한 적응력과 창의적 사고를 개발할 수 있습니다.

"AI는 기업에게 변화의 바람을 타고 새로운 기회를 찾을 수 있는 도구를 제공한다. 이는 끊임없는 적응과 혁신의 과정이다."

변화를 수용하는 태도는 개인의 커리어 개발에도 중요합니다. AI 기술의 발전은 새로운 직업 기회를 창출하고, 기존 직업의 본질을 변화시킵니다.

"AI 시대의 전문가는 지속적인 학습과 적응을 통해 자신의 역량을 강화하고, 변화하는 직업 환경에서 기회를 포착한다."

변화를 수용하는 태도는 또한 사회적 차원에서의 책임감을 의미합니다. AI 기술의 발전은 사회적, 윤리적 질문을 제기하며, 이에 대한 신중한 고려가 필요합니다.

레오나르도 다 빈치의 사례를 통한 영감

레오나르도 다 빈치는 그의 시대를 앞서간 혁신가였습니다. 그는 끊임없는 호기심과 실험 정신으로 다양한 분야에서 혁신을 이루었습니다. 그의 접근 방식은 현대 사회에서 변화를 수용하고 혁신하는 데 중요한 영감을 제공합니다. 다 빈치의 사례를 통해, 우리는 변화를 두려워하지 않고 새로운 기회로 받아들이는 방법을 배울 수 있습니다.

[사례 예시]

다 빈치의 다학제적 접근 방식을 모델로 삼아, 다양한 배경을 가진 직원들이 협력하여 새로운 제품을 개발하는 프로젝트를 진행합니다. 이 프로젝트는 다양한 관점과 아이디어가 혁신을 이끌어내는 사례로서, 변화를 수용하는 태도의 중요성을 강조합니다.

- 다학제적 접근 방식의 의미

다학제적 접근 방식은 여러 학문 분야의 지식과 방법론을 통합하여 복잡한 문제를 해결하는 접근법입니다. 이 방식은 다양한 분야의 전문가들이 협력하여 각자의 관점과 전문 지식을 결합함으로써 새로운 해결책을 창출합니다. 공학, 디자인, 비즈니스, 심리학 등 다양한 분야의 전문 지식을 활용하여 혁신적이고 창의적인 아이디어를 개발할 수 있습니다.

- 구체적인 샘플 예시: AI 기반 건강관리 앱 개발

(1) 프로젝트 개요 :

- 목표: AI 기술을 활용하여 사용자 맞춤형 건강 관리 앱 개발

- 팀 구성: 소프트웨어 엔지니어, 데이터 과학자, 의료 전문가, UX/UI 디자이너, 비즈니스 전략가

(2) 프로젝트 단계 및 각 팀원의 역할:

- 문제 정의 및 아이디어 도출:

A. 의료 전문가: 현대인의 건강 관리에 대한 주요 문제와 필요성 파악

B. 비즈니스 전략가: 시장 분석 및 타깃 사용자 그룹 정의

C. 모든 팀원: 브레인스토밍을 통한 초기 아이디어 도출

- 개발 및 디자인:

A. 소프트웨어 엔지니어 및 데이터 과학자: AI 알고리즘 개발 및 사용자 데이터 분석

B. UX/UI 디자이너: 사용자 친화적인 인터페이스 디자인

C. 의료 전문가: 건강 관련 콘텐츠 및 조언 제공

- 테스트 및 피드백:

A. 모든 팀원: 프로토타입 테스트 및 사용자 피드백 수집

B. 데이터 과학자: 사용자 피드백을 바탕으로 알고리즘 조정

- **시장 출시 및 마케팅 전략:**

A. 비즈니스 전략가: 시장 출시 전략 및 마케팅 계획 수립

B. 모든 팀원: 최종 제품 발표 및 마케팅 자료 준비

(3) 프로젝트 결과 및 영향:

- 개발된 앱은 개인의 건강 상태와 생활 습관을 고려한 맞춤형 건강 관리 계획을 제공합니다.

- 사용자는 AI 기반 분석을 통해 자신의 건강 상태를 보다 효과적으로 관리할 수 있게 됩니다.

- 이 프로젝트는 다양한 분야의 전문 지식이 결합되어 혁신적인 건강 관리 솔루션을 창출했다는 점에서 큰 성공을 거둡니다.

이 예시는 다학제적 접근 방식을 통해 복잡한 문제를 해결하고, 혁신적인 제품을 개발할 수 있는 방법을 보여줍니다. 각 분야의 전문가들이 협력하여 그들의 지식과 기술을 결합함으로써, 단일 분야에서는 도달하기 어려운 창의적이고 혁신적인 결과를 도출할 수 있습니다.

"AI 시대의 사회는 기술의 영향을 고려하고, 모든 구성원이

혜택을 누릴 수 있는 방향으로 기술을 활용해야 한다."

실제 환경에서의 변화 수용 적용

변화를 수용하는 태도는 이론적인 이해를 넘어 실제 환경에서의 적용이 중요합니다. 조직과 개인은 새로운 기술과 변화하는 시장 환경에 능동적으로 대응할 수 있어야 합니다. 이를 위해선 변화에 대한 감지 능력을 향상시키고, 변화에 대응하는 구체적인 전략을 수립해야 합니다.

[사례 예시]

●AI 기반의 시장 분석 도구를 도입하여 시장 변화에 신속하게 대응합니다. 이 도구를 통해 기업은 시장 트렌드를 빠르게 파악하고, 새로운 마케팅 전략을 개발하여 경쟁 우위를 확보할 수 있었습니다.

AI 시대에 변화를 수용하는 태도가 어떻게 개인, 조직, 사회에 긍정적인 영향을 미칠 수 있는지에 대해 심도 있게 탐구합니다. 변화를 수용하는 태도는 미래에 대한 준비, 새로운 기회의 발견, 지속 가능한 발전을 위한 필수적인 조건입니다.

지속가능한 성장을 위한 변화 수용

변화를 수용하는 태도를 개발하고, AI 시대에 적응하는 데 이는 우리가 미래의 도전에 대응하고, 새로운 기회를 창출하는 데 필수적인 마인드셋이며, 미래를 위한 새로운 시각과 전략을 알려줄 것입니다. 변화를 수용하는 태도는 AI 시대를 살아가는 데 필수적인 요소입니다. 변화를 두려워하지 않고, 적극적으로 새로운 기술과 환경에 적응하는 방법을 배울 수 있습니다.

변화를 수용하는 태도는 개인과 조직에 지속 가능한 성장과 혁신의 길을 열어줄 것입니다. 이러한 마인드셋은 단순한 기술적 적응을 넘어서, 끊임없이 변화하는 세계에서 성공적으로 살아가는 데 중요한 열쇠가 될 것입니다.

"변화를 수용하는 태도는 미래를 향한 여정에서 항해의 나침반이며, 끊임없이 변화하는 세상에서 우리를 안내하는 빛이다."

[제4장]
AI 마인드셋의 실천
: 전략과 실행

AI 마인드셋을 현실의 전략과 실행에 어떻게 적용할 수 있는지를 탐구합니다. .

"AI 마인드셋을 갖는 것은 시작에 불과하다. 진정한 도전은 이를 실제 전략과 행동으로 옮기는 것이다."AI 마인드셋의 실천은 먼저 조직 내에서 AI 기술의 도입과 통합을 포함합니다. 기업은 AI를 활용하여 운영 효율성을 개선하고, 고객 경험을 향상시키며, 새로운 시장 기회를 탐색할 수 있습니다.

"AI 기술을 사업 전략에 통합하는 것은 현대 기업에게 필수적이다. 이는 비즈니스 모델의 혁신과 지속 가능한 성장의

키이다."

AI 마인드셋의 실천은 또한 개인 차원에서의 자기 개발과 학습을 포함합니다. 개인은 AI와 관련된 기술과 능력을 개발함으로써, AI 시대의 새로운 직업 기회에 대응하고, 경쟁력을 강화할 수 있습니다.

1. 일상적인 관찰에서 시작하는 질문

일상 속에서 우리는 수많은 사물과 상황에 마주칩니다. 예를 들어, "왜 하늘은 파란색일까?" 또는 "거미는 어떻게 그렇게 정교한 거미줄을 만들 수 있을까?"와 같은 질문은 일상적인 관찰에서 출발하며, 우리의 호기심을 자극합니다.

2. 평범한 순간에서 영감을 찾는 질문

가장 평범한 순간에서도 영감을 얻을 수 있는 질문을 던집니다. 예를 들어, "이 커피잔의 디자인은 어떤 이야기를 하고 있을까?" 또는 "이 곡선의 건물은 어떤 구조적 특징을 가지고 있을까?"와 같은 질문은 우리가 일상에서 접하는 사물들을 새로운 시각으로 바라보게 합니다.

3. 일상 속 미해결 문제에 대한 질문

우리 주변의 미해결 문제들을 찾아내는 질문을 통해 창의적인 해결책을 모색합니다. "교통 체증은 어떻게 해결할 수 있을까?" 또는 "우리 지역의 쓰레기 문제를 줄이기 위해 우리가 할 수 있는 일은 무엇일까?"와 같은 질문은 실제 문제 해결을 위한 창의적인 아이디어를 촉진합니다.

"AI 시대의 전문가는 지속적인 학습과 기술 습득을 통해 미래에 대비한다."

AI 마인드셋의 실천은 사회적 차원에서도 중요합니다. 기술의 발전은 사회적, 윤리적 책임을 요구하며, 이에 대한 신중한 고려가 필요합니다.

"AI 기술의 책임 있는 사용은 사회 전반에 긍정적인 변화를 가져올 수 있다. 이는 모든 이해관계자가 함께 노력해야 하는 과제이다."

AI 마인드셋을 현실의 전략과 실행에 어떻게 적용할 수 있는지에 대해 심도 있게 탐구합니다. AI 마인드셋의 실천은 개인, 조직, 사회에 걸쳐 중요한 의미를 가지며, 이는 미래에 대한 준비, 새로운 기회의 발견, 지속 가능한 발전을 위한 필수적인 조건입니다.

AI 마인드셋을 실제 전략과 실행에 적용하는 방법을 제공합니다. 이는 우리가 미래의 도전에 대응하고, 새로운 기회를 창출하는 데 필수적인 마인드셋이며, 미래를 위한 새로운 시각과 전략을 알려줄 것입니다.

"AI 마인드셋의 실천은 미래를 향한 우리의 여정에서 구체적인 발걸음이며, 끊임없이 변화하는 세상에서 우리를 안내하는 실질적인 행동이다."

4-1. 일상 속 AI: 삶의 질을 높이는 혁신

"AI는 단순한 기술 혁신이 아니라, 일상 생활에서 삶의 질을 높이는 실질적인 변화를 가져오는 도구다."

"만약 ~라면 어떨까?" 또는 "왜 ~일까?"와 같은 개방형 질문을 통해 사고의 범위를 확장시키고, 새로운 아이디어를 탐색하는 데 도움을 줍니다. 여기서는 어떻게 이러한 질문을 일상 속에서 활용할 수 있는지 구체적인 방법과 사례를 제시합니다. 개방형 질문은 단순한 대답 대신 풍부한 생각과 아이디어를 유도합니다. "만약 ~라면 어떨까?" 또는 "왜 ~일까?"와 같은 질문은 다양한 가능성을 탐색하고, 새로운 관점을 고려할 기회를 제공합니다.

- **일상적인 상황에서의 개방형 질문**
  (1) **교통체증:** "만약 모든 차량이 자율 주행 차량이라면 교통 체증은 어떻게 달라질까?" 이 질문은 교통 체증의 문제를 다루면서 미래의 가능성을 탐구합니다.

  (2) **카페:** "카페 커뮤니티 센터로도 기능한다면 어떤 활동이 일어날까?" 이 질문은 일상의 공간을 재해석하고, 다기능적 사용을 상상합니다.

- **사례: 창의적 질문으로 혁신을 이끈 예**
  (1) 회사 내 회의: 한 기업에서는 "만약 우리의 회의가 완전히 가상 현실에서 이루어진다면 어떨까?"라는 질문을 던져 회의 방식을 혁신했습니다. 이를 통해 직원들은 다양한 지역에서 더 효율적이고 참여적인 방식으로 회의에 참여할 수 있게 되었습니다.
  (2) 도시 계획: 도시 계획가들은 "만약 이 도시가 완전히 자전거 친화적이라면 어떻게 다를까?"라는 질문을 통해

도시의 교통 체계와 공공 공간의 디자인을 재고하게
되었습니다.

- **개방형 질문을 일상에 적용하기**

직장에서의 프로젝트, 가정 생활, 취미 활동 등 다양한 상황
에서 "만약 ~라면?" 또는 "왜 ~일까?"와 같은 질문을 통해
새로운 아이디어를 탐색하고, 문제를 다른 관점에서 바라볼
수 있는 방법입니다.

일상에서 AI를 활용하여 삶의 질을 어떻게 향상시킬 수 있을
까요? 일상 속 AI의 혁신은 다양한 형태로 나타납니다. 스마
트 홈 기술에서부터 시작해 AI는 우리의 생활 방식을 개선하
는 데 중요한 역할을 합니다. 예를 들어, AI 기반의 에너지
관리 시스템은 집안의 에너지 소비를 최적화하고, 사용자의
생활 패턴에 맞추어 조정합니다.

**"AI는 우리 집을 더 스마트하고 효율적으로 만들며, 일상 생
활을 더욱 편리하게 변화시킨다."**

AI는 또한 개인 건강 관리에도 혁신을 가져옵니다. 웨어러블
기기와 모바일 앱은 사용자의 건강 데이터를 추적하고 분석
하여, 맞춤형 건강 권장 사항을 제공합니다.

"AI는 우리의 건강 관리 파트너가 되어, 맞춤형 건강 조언과 지속적인 모니터링을 통해 우리의 건강을 지키는 데 도움을 준다."

AI 기술이 일상 생활에서 어떻게 적용되고, 이를 통해 우리 삶이 어떻게 개선되는지에 대한 구체적인 예시를 제공합니다. AI의 일상적인 적용은 단순히 기술적인 진보가 아니라, 삶의 질을 향상시키고, 개인의 웰빙을 증진시키는 중요한 수단입니다.

AI를 일상 생활에 어떻게 통합하고 삶의 질을 향상시킬 수 있는지에 대한 실용적인 조언과 통찰력을 제공합니다. 이는 AI 기술을 이해하고, 그것을 자신의 삶에 통합하는 데 필요한 구체적인 전략과 방법을 제공합니다. AI 기술을 일상에서 활용하여 삶을 향상시키고자 하는 모든 이들에게 가치 있는 지침이 될 것입니다.

"AI의 혁신은 우리의 일상을 변화시키며, 더 나은 삶을 향한 길을 제시한다."

4-2. AI 와 함께 성장하는 미래 준비 전략

AI를 사용하여 실제 문제를 해결하는 방법을 통해 함께 성장하는 미래를 준비해야 합니다. AI 시대에 필요한 미래 준비 전략을 위해 일상 속 AI 활용을 위한 창의력 실습 예시입니다.

"미래는 이미 여기에 있다. AI와 함께 성장하기 위해 우리는 새로운 전략을 세우고, 지속적으로 발전해야 한다. 이것은 단순한 기술적 적응이 아니라, 새로운 현실을 향한 발걸음이다."

1. AI 기반 일기 작성 : 이야기를 AI와 공유하기

매일 AI 기반 텍스트 생성 도구를 사용하여 일기를 작성해보세요.

예를 들어, "오늘의 경험을 바탕으로 미래의 나에게 편지 쓰기"와 같은 프롬프트를 설정하고, AI가 생성한 내용을 기반으로 일기를 완성합니다. 이를 통해 창의적인 글쓰기와 자기 성찰을 동시에 실천할 수 있습니다.

(1) 실습 방법: AI 기반 텍스트 생성 도구를 사용하여 하루의 경험, 생각, 감정을 공유합니다. "오늘 겪은 가장 흥미로운 일은 무엇이었나요?"라는 질문을 AI에게 던지고, 그에 대한 AI의 반응을 기반으로 일기를 작성합니다.

(2) 실습 목적: AI의 반응을 통해 자신의 경험에 대한 새로운 관점을 얻고, 자기 성찰을 깊게 합니다.

2. AI를 활용한 요리 실험: 새로운 맛의 디스커버리

AI 기반 레시피 추천 도구를 사용하여 새로운 요리를 시도해 보세요. 특정 재료를 입력하고 AI가 제안하는 독특한 조합을 실험해보는 것입니다. 이를 통해 기존에 시도해보지 않았던 맛의 조합을 탐구하고 요리에 대한 창의적인 접근을 경험할 수 있습니다.

(1) 실습 방법: AI 기반 레시피 추천을 사용하여 새로운 요리 조합을 탐색합니다. 주어진 재료들을 입력하고 AI가 제안하는 독특한 레시피를 시도해봅니다.

(2) 실습 목직: AI가 제안하는 비전통적인 요리법을 통해 요리에 대한 창의적인 접근을 경험하고, 새로운 맛을 탐구합니다.

3. AI 아트 프로젝트

AI 기반 이미지 생성 도구를 사용하여 자신만의 예술 작품을 만들어보세요.

예를 들어, "내가 좋아하는 색상과 테마로 추상적인 그림 만들기"와 같은 주제를 설정하고, AI가 생성한 결과물을 바탕으로 자신만의 아트워크를 완성합니다. 이 과정은 창의력을 자극하고 예술적 감각을 향상시키는 데 도움이 됩니다.

(1) 실습 방법: AI 기반 이미지 생성 도구를 사용하여 자신만의 예술 작품을 만듭니다. 특정 테마나 색상, 포즈, 그리고 행동 등을 AI에게 제시하고, 생성된 이미지를 바탕으로 자신만의 아트워크를 완성합니다.

(2) 실습 목적: AI 기술을 이용한 예술 창작을 통해 창의력을 발휘하고, 기술과 예술의 조화를 경험합니다.

4. AI를 활용한 언어 학습

스마트폰에서 ChatGPT 앱을 통해 스피킹 기능을 활용하여 대화하듯이 원어민과 대화 및 영어 교정을할 수 있는 시대가 열렸으며, AI 기반 언어 학습 애플리케이션을 사용하여 새로운 언어를 배워보세요. 매일 AI 앱과 대화하며 새로운 언어 스킬을 연습하는 것입니다. AI의 인터랙티브한 학습 방식은 언어 학습을 더 재미있고 효과적으로 만들어줍니다.

(1) 실습 방법: ChatGPT에서 스마트폰을 사용하여 영어 및 새로운 언어를 배워봅니다. AI와 대화하며 발음, 어휘, 문법, 생활영어, 실시간 대화 등을 연습하고, AI의 피드백을 통해 상호교류 및 학습합니다.

(2) 실습 목적: AI와의 인터랙티브한 학습을 통해 새로운 언어를 효과적으로 배우고, 언어 능력을 개발합니다.

5. AI 뉴스 분석

AI 기반 뉴스 분석 도구를 사용하여 최신 뉴스에 대한 인사이트를 배워보세요.

예를 들어, 특정 주제에 대한 뉴스 기사를 AI 분석 도구에 입력하고, 그것이 제공하는 요약과 분석을 바탕으로 자신의 견해를 형성합니다. 이를 통해 빠르게 변화하는 세계 속에서 정보를 효과적으로 처리하고 분석하는 능력을 개발할 수 있습니다.

미래 준비 전략은 개인과 조직 모두에게 필요합니다. 개인 차원에서는 AI 기술의 이해와 적응이 핵심입니다. 이는 새로운 직업 기회의 창출뿐만 아니라, 현재 직업의 본질을 변화시키는 데 중요한 역할을 합니다.

(1) 실습 방법: AI 기반 뉴스 분석 도구를 사용하여 최신 뉴스에 대한 분석을 얻어봅니다. 특정 주제에 대한 뉴스 기사를 AI에 입력하고, AI가 제공하는 분석 결과를 바탕으로 자신의 견해를 더합니다.

(2) 실습 목적: AI의 데이터 분석 능력을 활용하여 정보를 더 깊이 이해하고, 자신만의 관점을 개발합니다.

"AI 시대의 전문가는 기술 변화에 발맞춰 자신의 역량을 지속적으로 강화해야 한다."

조직 차원에서의 전략은 AI를 통한 혁신과 효율성 증대에 중점을 둡니다. 기업은 AI를 활용하여 운영을 최적화하고, 새로운 비즈니스 기회를 발굴할 수 있습니다.

"기업의 미래 준비 전략은 AI를 핵심 요소로 삼아, 지속 가능한 성장과 혁신을 추구한다."

또한, AI 시대에 필요한 윤리적, 사회적 책임에 대해서도 논의합니다. AI 기술의 책임 있는 사용은 사회 전반에 긍정적인 변화를 가져오는 데 중요합니다.

각 장에서 배운 질문 기법과 창의적 사고는 일상의 작은 순간에서부터 시작됩니다. 예를 들어, "이 일을 처리하는 새로운 방법은 무엇일까?"와 같은 질문은 직장에서의 문제 해결을 위한 새로운 접근법을 통해 AI 시대를 효과적으로 준비하고, AI와 함께 성장하는 데 필요한 실질적인 전략입니다. 이는 AI 기술을 이해하고, 그것을 개인과 조직의 발전에 적용하는 데 필요한 구체적인 지침을 독자들에게 제공합니다. AI 시대를 살아가는 데 필요한 중요한 기초를 제공하며, 미래를 위한 새로운 시각과 전략을 알려줄 것입니다.

"AI 기술의 발전은 윤리적, 사회적 고려를 필요로 한다. 이는 기술이 인류에게 진정으로 유익하도록 이끌어가는 길이다."

[제5장]
AI 마인드셋의 심화
: 미래를 향한 도약

AI 마인드셋을 더욱 심화시키고, 이를 통해 미래에 대한 대비와 도약을 모색합니다. 일상의 루틴에 갇혀 변화를 두려워하는 순간, "내가 이 상황에서 배울 수 있는 것은 무엇일까?"와 같은 질문은 자기 성찰과 성장을 촉진할 수 있습니다. 도전과 변화의 순간에, "이 경험이 나에게 어떤 의미가 있는가?"처럼 우리가 경험을 어떻게 삶의 교훈으로 전환할 수 있는지는 고민해야 합니다.

"AI 시대의 진정한 선구자들은 단순한 적응을 넘어선다. 그들은 AI 마인드셋을 심화시키고, 미래를 향해 큰 도약을 준비한다."

AI 마인드셋의 심화는 기술에 대한 깊은 이해와 더불어, 그것이 우리 사회와 문화에 미치는 영향을 포괄적으로 고려하는 것을 의미합니다. 예를 들어, AI는 교육 시스템을 혁신할 수 있는 잠재력을 가지고 있습니다.

"AI는 교육의 틀을 넘어서 학습 경험 자체를 변화시킨다. 이는 미래 세대의 학습 방식에 혁명을 가져올 것이다."

AI 마인드셋의 심화는 또한 새로운 직업과 산업을 창출하는 데 중요한 역할을 합니다. AI 기술의 발전은 전통적인 산업을 변화시키고, 완전히 새로운 산업 분야를 창출합니다.

"AI는 기존의 직업을 변화시키고, 새로운 직업의 기회를 창출한다. 이는 미래의 직업 시장에 대한 우리의 이해를 재정립한다."

AI 마인드셋을 심화시키기 위한 구체적인 전략과 방법을 다룹니다. 이는 AI와 관련된 기술, 산업, 사회적 영향을 깊이 있게 이해하고, 이를 바탕으로 미래를 준비하는 것입니다.
AI 기술의 발전과 그것이 미래에 가져올 변화를 이해하고, 이에 대응하는 데 필요한 AI 마인드셋을 심화시키고, 미래에 대한 대비를 강화합니다.

"AI 마인드셋의 심화는 지속적인 학습, 탐구, 그리고 적응을 필요로 한다. 이것은 미래에 대한 준비의 핵심이다."

5-1. AI와 함께 성장하는 인간성: 윤리와 가치, 그리고 혁신

현대 사회에서 인공지능(AI)은 단순한 기술을 넘어 우리의 생활 방식, 의사결정, 심지어는 인간성에 대한 이해까지 변화시키고 있습니다. AI와 함께 성장하면서 인간은 새로운 윤리적 질문들, 가치 판단의 복잡성, 그리고 끊임없는 혁신의 도전에 직면하게 됩니다. 이 장에서는 AI가 인간 성장에 미치는 영향을 윤리, 가치, 혁신의 관점에서 다가갑니다.

"AI는 환경 보호를 위한 신기술로 활용되며, 지속 가능한 미래를 향한 중요한 발걸음이 될 수 있다."

인간과 AI의 상호 성장

인간과 AI의 상호작용은 서로에게 영향을 미치며 성장을 촉진합니다. AI는 인간의 판단과 행동에 영향을 미치고, 반대로 인간은 AI의 발전과 응용 방향을 지휘합니다. 이러한 상호작용은 인간의 가치관, 윤리적 기준, 그리고 혁신적 사고를 재정의하고 있습니다.

윤리적 AI

윤리는 AI 기술 발전의 핵심 요소입니다. AI 시스템이 사람들의 삶에 깊숙이 통합됨에 따라, 이들 시스템이 공정하고, 편견 없으며, 모두에게 이익이 되도록 하는 것이 중요해졌습니다. AI 윤리는 프라이버시 보호, 투명성, 책임감 있는 사용과 같은 원칙을 포함합니다.

가치 창출

AI는 인간의 삶을 향상시키고, 사회적 문제를 해결하는 데 중요한 역할을 할 수 있습니다. 예를 들어, 교육과 의료 분야에서 맞춤형 솔루션을 제공하거나, 지속 가능한 환경을 위한 혁신을 이끌어낼 수 있습니다. 이 과정에서 AI는 인간의 가치관에 기반을 두고, 이를 반영하여 행동하게 됩니다.

혁신과 도전

AI는 끊임없는 혁신의 촉매제 역할을 합니다. 하지만, 이와 동시에 새로운 윤리적, 사회적 도전을 제기합니다. 기술의 빠른 발전은 우리에게 새로운 질문을 던지며, 우리가 인간으로서 무엇을 가치 있게 여기는지 재고민하게 합니다.

"AI 시대에 인간성의 성장은 단순히 기술적인 진보를 넘어선다. 이는 윤리, 가치, 그리고 혁신의 균형을 잡는 과정이다."

AI 기술의 윤리적 사용은 인간 중심의 AI 개발에 핵심적입니다. 예를 들어, 자율주행차의 개발 과정에서는 안전과 개인 정보 보호가 중요한 고려사항입니다.

"자율주행차는 단순히 운전자 없이 움직이는 차가 아니라, 안전과 개인 정보 보호를 중시하는 윤리적 기술의 증거다."

AI와 함께 성장하는 인간성은 또한 지속 가능한 혁신을 추구합니다. AI 기술은 환경 보호, 에너지 효율성 향상 등 지속 가능한 발전을 위한 해결책을 제공할 수 있습니다.

AI 기술의 발전이 인간의 윤리적 가치와 어떻게 조화를 이루며 혁신을 이끌 수 있는지에 대해 알아봅니다. 윤리적 AI 사용은 기술 발전이 인류에게 미치는 영향을 책임감 있게 고려하는 것을 의미합니다.

"AI와 함께 성장하는 인간성은 윤리적 책임감과 혁신적 사고를 필요로 한다. 이는 기술 발전을 인간 중심으로 이끄는 데 중요한 역할을 한다."

AI 기술의 윤리적 사용과 인간 중심의 발전 전략에 대해 인간성의 성장을 추구하고, 윤리와 가치의 균형을 잡는 데 필요한 중요한 기초가 됩니다. AI 기술과 인간의 가치가 어떻게 조화를 이루며 혁신을 이끌 수 있는지에 대한 중요한 인사이트를 배울 수 있습니다.

"인공지능의 시대에 우리가 직면하는 가장 큰 도전은 기술의 속도가 아니라, 그 기술을 통해 우리 자신의 인간성을 어떻게 표현하고 확장할 것인가이다."

AI 마인드셋 실행도서를 위한 실천전략 표

전략 구분	구체적인 설명	실행 방법
목표 설정	AI 기술 습득과 관련된 명확하고 도전적인 목표 설정	매주 한 개의 AI 관련 논문 읽기, 매월 하나의 프로젝트 완성하기
학습 계획	체계적인 학습을 위한 계획 수립	주 2회 온라인 코스 참여, 매일 1시간 독서
실습 프로젝트	배운 이론을 실제 프로젝트에 적용	개인 또는 팀 프로젝트로 실습, 주기적으로 결과물 발표
네트워킹 및 협업	동료 및 AI 커뮤니티와의 협업과 네트워킹	온라인 포럼 참여, 월 1회 오프라인 모임 주최
피드백 및 반성	전문가의 피드백 수집 및 자기 반성	멘토에게 월 1회 피드백 요청, 매주 학습 일지 작성

AI 마인드셋 실행도서를 위한 강화표

전략 구분	구체적인 설명	실행 방법
크리티컬 사고 개발	AI와 관련된 문제 해결을 위한 비판적 사고력 함양	주요 AI 이슈에 대한 토론 모임 참여, 매주 사례 연구 분석
기술적 능력 강화	프로그래밍 및 데이터 분석 등 기술적 기술 향상	파이썬, R과 같은 프로그래밍 언어 학습, 데이터 분석 프로젝트 수행
윤리적 접근 방식	AI 기술의 윤리적 사용에 대한 인식과 적용	AI 윤리 가이드라인 공부, 윤리적 문제가 있는 사례 연구
창의성 및 혁신 추구	AI 기술을 통한 창의적 해결책과 혁신 개발	브레인스토밍 세션, 새로운 AI 기술을 활용한 프로젝트 아이디어 개발
지속적인 성장 마인드셋	AI 기술과 관련하여 항상 배우고 성장하려는 태도 유지	실패에서 배우기, 새로운 도전을 적극적으로 받아들이기

지속적인 학습과 성장을 위한 마인드셋

AI 시대는 변화가 빠르고 지속적입니다. 이러한 환경에서 성공하기 위해서는 항상 배우고, 적응하며, 성장하는 AI 마인드셋이 필요합니다.

1. 학습의 태도: 항상 새로운 것을 배울 준비가 되어 있어야 합니다. 호기심을 유지하고, 새로운 지식과 기술에 열려 있어야 합니다.

2. 적응력 강화: 변화하는 기술 환경에 능동적으로 적응하는 능력을 개발합니다. 유연성과 문제 해결 능력을 강화합니다.

3. 자기 주도 학습: 스스로 학습 목표를 설정하고, 자원을 찾아 학습하는 능력을 키웁니다.

AI 시대의 우리는 배움을 멈추지 않습니다. 우리는 새로운 기술과 변화에 끊임없이 적응하며, 이를 통해 더 나은 미래를 만들어 갑니다.

"AI의 진보는 인간의 마음을 거울처럼 비추며, 우리가 누구인지, 그리고 우리가 되고자 하는 것이 무엇인지를 반영한다."

AI와 함께하는 끊임없이 배우고 적응하는 삶

인공지능(AI)은 이제 우리 생활 곳곳에 깊숙이 자리 잡고 있습니다. AI 기술이 발전함에 따라 우리 사회의 모습도 변화하고 있습니다. AI 기술의 지속 가능한 발전과 활용을 위한 방안을 모색합니다.

1. 윤리적인 AI 활용: AI 윤리 기준과 이를 통한 책임 있는 AI 개발과 활용에 대해 논의합니다.

2. 인간 중심의 기술 발전: 기술 발전이 인간의 복지와 사회 발전에 기여하는 방향으로 나아가야 합니다.

"윤리적 AI는 단순히 프로그래밍의 문제가 아니라, 우리가 공유하는 인류적 가치의 표현이다."

윤리는 AI 기술 발전의 핵심 요소입니다. AI 시스뎀이 사람늘의 삶에 깊숙이 통합됨에 따라, 이들 시스템이 공정하고, 편견 없으며, 모두에게 이익이 되도록 하는 것이 중요해졌습니다.

AI 윤리는 프라이버시 보호, 투명성, 책임감 있는 사용과 같은 원칙을 포함합니다. 우리는 AI 시대의 변화를 받아들이고, 이를 우리 삶의 일부로 만들어야 합니다. AI와 함께 성장하며, 더 나은 미래를 위해 적응하고 협력하는 것이 중요합니다.

AI 시대의 미래는 끊임없는 학습, 적응, 그리고 성장이 필요합니다. 우리는 AI와 함께 성장하며, 더 나은 미래를 함께 만들어 갑니다.

"**AI**는 단지 기계가 아니라, 인간의 꿈과 희망을 실현하는 도구이다."

AI는 끊임없는 혁신의 촉매제 역할을 합니다. 하지만, 이와 동시에 새로운 윤리적, 사회적 도전을 제기합니다. 기술의 빠른 발전은 우리에게 새로운 질문을 던지며, 우리가 인간으로서 무엇을 가치 있게 여기는지 재고민하게 합니다.

"우리가 AI와 함께 성장함으로써, 인간으로서의 깊이와 폭을 넓히고, 더 나은 미래를 만들어 갈 수 있다."

5-2. AI 마인드셋의 확장:
창조적 미래 AI의 무한한 가능성

"AI는 미래를 향한 문을 열고, 우리에게 무한한 가능성의 세계로 안내한다."

AI 마인드셋은 기술 중심적 사고를 넘어서 인간의 창의성, 유연성, 그리고 비판적 사고를 포함합니다. 이는 미래의 문제를 해결하고 새로운 기회를 창출하는 데 필수적입니다. AI를 이해하고 활용하는 능력은 미래 세대에게 필수적인 역량이 될 것입니다.

AI는 창조적인 문제 해결에 새로운 차원을 제공합니다. 예술, 음악, 디자인 등 전통적으로 '인간적'이라 여겨지는 분야에서 AI는 새로운 형태의 창작을 가능하게 합니다. AI와 인간의 협업은 전례 없는 창의적 작업을 만들어나갈 수 있습니다.

AI 기술의 발전은 거의 모든 분야에서 무한한 가능성을 열어주고 있습니다. 의료, 교육, 환경 보호, 우주 탐사 등에서 AI의 역할은 우리가 상상하는 것을 현실로 만드는 데 중요한 역할을 합니다. 이러한 가능성을 최대한 활용하기 위해서는 우리의 지속적인 학습, 실험, 그리고 혁신이 필요합니다.

미래 세대를 위한 AI 교육과 연구는 이러한 가능성을 실현해 나가고, AI에 대한 깊은 이해와 윤리적 사용, 그리고 창의적 적용을 강조하는 교육과 연구가 지속적으로 해나가야 합니다.

"AI 마인드셋의 확장은 창조적 사고의 경계를 넓히고, AI의 무한한 가능성을 탐색하는 여정이다."

위와 같은 이유에서 AI 마인드셋의 확장은 기술과 예술, 인문학 등 다양한 분야의 융합을 포함합니다. 예를 들어, AI가 음악, 미술, 문학 창작에 사용되면서 새로운 예술 형태를 탄생시키고 있습니다.

"AI는 예술의 영역에 새로운 창조적 가능성을 더하며, 인간의 창의력을 새로운 차원으로 이끈다."

AI 마인드셋의 확장은 또한 산업과 사회의 혁신에 큰 영향을 미칩니다. AI 기술의 발전은 스마트 도시, 지능형 교통 시스템, 지속 가능한 환경 관리 등 삶의 다양한 분야에 혁신을 가져옵니다.

"AI 학습은 하늘에 별을 달기와 같다. 각 별은 새로운 지식과 기술로, 우리는 이 별들을 연결하여 끝없는 가능성의 우주를 만든다."

- **창의적 사고를 위한 일상적 질문 습관**

(1) **전략:** 매일 다양한 상황에 대해 깊이 있는 질문을 스스로에게 던짐으로써 창의적 사고를 자극합니다.

(2) **실습:** "오늘 내가 만난 가장 흥미로운 사람은 누구였나?" 또는 "이 일을 해결하는 또 다른 방법은 무엇일까?"와 같은 질문을 매일 기록하고, 그에 대한 답을 작성해보세요.

- **AI 기술 활용을 통한 목표 달성**

(1) **전략:** AI 기술을 활용하여 목표 설정 및 추적, 진행 상황 평가를 합니다.

(2) **실습:** AI 기반 목표 추적 앱을 사용하여 개인적, 직업적 목표를 설정하고, 그 진행 상태를 정기적으로 검토합니다.

- **개인 발전을 위한 창의적 미니 프로젝트**

(1) **전략:** 일상에서 작은 창의적 프로젝트를 기획하고 실행합니다.

(2) **실습:** AI 기술이나 데이터를 활용하는 간단한 프로젝트를 기획하고, 그 결과를 분석하여 새로운 인사이트를 얻어봅니다.

"AI의 무한한 가능성은 우리의 삶을 더욱 스마트하고 지속 가능하게 만든다."

AI 마인드셋 구축 4단계

1. 목표 설정: 당신의 AI 꿈을 정의하라

(1) 목표를 설정하는 것의 중요성과 방법

(2) 단기, 중기, 장기적인 목표의 설정과 그에 따른 계획 수립

(3) 실제 사례를 통해 목표 설정의 중요성을 이해

2. 자기 평가: 당신의 현재 위치를 파악하라

(1) 자신의 AI 지식과 기술 수준 평가하기

(2) 강점과 약점을 파악하고 이를 바탕으로 학습 계획 설정

(3) 개인의 학습 스타일과 선호도를 고려한 학습 방법 선택

3. 학습 계획 수립: 당신만의 AI 학습 로드맵 만들기

(1) 구체적인 학습 계획의 예시와 가이드라인 제공

(2) 다양한 학습 자원과 방법 소개 (온라인 코스, 워크샵 등)

(3) 학습 진행 과정에서의 동기 부여 및 유지 전략

4. 실천하기: 당신의 AI 여정을 시작하라

(1) 실습과 프로젝트를 통한 학습 내용 적용

(2) 실패와 성공에서 배우는 방법론

(3) 지속적인 학습과 성장을 위한 마인드셋 강조

AI 마인드셋을 통해 새로운 기술과 기회에 적응하고, 미래의 변화를 선도하는 개인이 될 수 있습니다.

"AI 마인드셋의 확장은 우리가 미래를 상상하고 창조하는 방식에 근본적인 변화를 가져온다."

개인의 목표와 역량에 맞는 AI 학습 계획 수립 방법

1. 목표 설정하기

(1) 자신만의 AI 목표 정의: AI 분야에서 이루고 싶은 구체적인 목표를 정합니다. 예를 들어, 프롬프트 전문가 되기, AI를 활용한 프로젝트 완성 등이 될 수 있습니다.

(2) 단기 및 장기 목표 분리: 단기적으로 달성할 수 있는 목표와 장기적인 목표를 구분합니다. 예를 들어, 단기 목표는 특정 AI 코스 완료, 장기 목표는 AI 관련 직업 얻기 등이 될 수 있습니다.

2. 자기 평가 실시

(1) 현재 AI 지식 수준 파악: AI 관련 기본 지식, 프로그래밍 능력 등 현재 수준을 평가합니다.

(2) 학습 스타일 이해: 자신의 학습 스타일(시각적인 학습, 독서 학습 등)을 파악하고, 이에 맞는 학습 방법을 선택합니다.

3. 학습 자원 탐색

(1) 다양한 학습 자원 조사: 온라인 코스, 서적, 워크샵, 컨퍼런스 등 AI 학습에 도움이 될 다양한 자원을 찾습니다.

(2) 자원에 따른 학습 계획 수립: 선택한 자원을 기반으로 학습 계획을 수립합니다. 예를 들어, 특정 온라인 코스를 주 2회 수강하기, 매일 1시간 코딩 실습 등이 될 수 있습니다.

4. 실천 계획 수립

(1) 일정 관리: 학습 활동을 위한 일정을 계획하고 관리합니다. 예를 들어, 매주 특정 시간에 학습하고, 매달 진행 상황을 점검합니다.

(2) 실습 중심 학습: 이론 학습과 더불어 실습을 통해 학습 내용을 적용합니다. 프로젝트 수행, 실제 데이터로 실험하기 등이 될 수 있습니다.

5. 진행 상황 점검 및 조정

(1) 정기적인 자기 점검: 학습 진행 상황을 정기적으로 점검하고, 목표에 도달하고 있는지 평가합니다.

(2) 필요 시 계획 조정: 목표에 부합하지 않거나 더 효과적인 학습 방법이 있다면, 학습 계획을 조정합니다.

"기술은 끊임없이 발전하지만, 진정한 혁신은 인간의 창의력과 꾸준한 학습에서 비롯된다. AI와 함께하는 여정은 끊임없는 지식의 확장이다."

AI 기술은 끊임없이 발전하므로, 학습은 일회성이 아닌 지속적인 과정입니다. 목표에 도달한 후에도 새로운 목표를 설정하고, 계속해서 학습하며 성장해나갑니다.

 AI 기술과 인간의 창조력이 어떻게 결합되어 새로운 가능성을 탐색할 수 있는지에 대한 심층적인 방법과 AI 시대를 살아가는 데 필요한 창조적 사고와 혁신입니다.

"인공지능의 바다에서 항해하는 것은 꾸준한 학습과 탐험의 여정이다. 목표를 나침반 삼아, 우리는 끊임없이 지평선 너머의 새로운 지식을 발견한다."

[제6장]
AI 마인드셋으로 새로운 미래를 그리다

"AI 마인드셋이란 미래를 대하는 우리의 태도를 혁신하는 것이며, 그 안에서 유쾌함과 유익함을 발견하는 여정이다."

"AI 시대를 살아가는 우리에게 필요한 것은 단지 지식의 축적이 아니라, 지식을 넘어서는 창의적 사고와 지속적인 도전 정신이다."

AI 마인드셋을 활용하여 미래를 즐겁고 유익하게 그려나가는 방법을 AI를 통해 일상을 더욱 재미있고 효율적으로 만드는 다양한 방법을 소개합니다. 예를 들어, AI를 활용한 스마트 홈 기기들은 우리의 생활을 더욱 간편하고 즐겁게 만들어줍니다.

"스마트 홈 기기와 함께하는 아침은 마법 같다. 커피 머신이 내 기상 시간을 알고 자동으로 커피를 준비해주니 말이다!"

AI 마인드셋으로 미래를 그리는 것은 또한 새로운 창작과 발견의 길을 엽니다. AI 기술을 활용한 음악, 미술, 문학은 전통적인 창작의 경계를 넘어서며 새로운 예술의 형태를 탐험합니다.

"AI가 만든 음악에 발 맞추어 춤추는 것은 전혀 새로운 경험이다. AI는 예술에 무한한 가능성을 불어넣는다."

AI 마인드셋을 통해 미래에 대한 우리의 상상력을 어떻게 확장하고, 더 풍요롭고 즐거운 삶을 위한 새로운 전략을 구상할 수 있는지를 탐구합니다. AI 마인드셋은 기술의 발전을 즐기며, 그것을 우리 삶에 유익하게 통합하는 과정입니다.

"AI 마인드셋으로 미래를 그리는 것은 우리의 상상력을 자극하고, 일상에 새로운 즐거움을 선사한다. 이는 미래를 향한 우리의 여정을 더욱 흥미롭고 보람차게 만든다."

AI 기술을 삶에 적용하는 것이 단순한 기술적 진보를 넘어선다는 것을 보여줍니다. AI 마인드셋을 통해 미래를 그리는 것은 끊임없는 발견과 창조의 과정으로, 이는 우리의 삶을 더욱 풍요롭고 유쾌하게 만듭니다. AI 마인드셋을 통한 새로운 미래 그리기에 대한 실용적이고 즐거운 통찰력을 제공할 것입니다.

"AI와 함께하는 삶은 끊임없는 모험이다. 기술은 우리가 새로운 가능성을 탐험하고, 미래를 재구성하는 데 필요한 나침반과 같다."

6-1. 미래를 위한 AI 마인드셋: 새로운 리더십과 미래의 준비

"AI 마인드셋은 삶의 캔버스에 무한한 색을 더하는 것이다.

기술이 아니라 상상력이 우리의 한계를 정한다."

미래를 위한 AI 마인드셋에 집중하며, 새로운 리더십과 미래 준비의 중요성을 강조합니다. 이 부분은 베스트셀러 작가의 명언과 구체적 예시를 통해 독자들의 몰입도를 높이고 통찰력 있는 메시지를 전달합니다.

"미래는 불확실성의 바다다. AI 마인드셋은 그 바다를 항해하는 나침반과 같다."

미래에 대한 준비와 새로운 리더십의 필요성을 강조합니다. AI의 발전은 기존의 비즈니스 모델과 생활 방식에 근본적인 변화를 가져오며, 이에 적응하고 혁신을 주도하는 능력이 중요해집니다.

예를 들어, AI 기술을 활용한 스마트 제조 분야에서는 기존의 생산 과정을 혁신하는 새로운 리더십이 필요합니다.

"스마트 제조의 세계에서 리더는 단순한 관리자가 아니다. 그들은 혁신가이며, 변화의 촉진자다."

이러한 사례를 통해 AI 마인드셋이 미래의 비즈니스와 산업을 어떻게 혁신할 수 있는지를 보여줍니다. AI 마인드셋을 통해 미래 사회의 변화를 주도하는 방법에 대한 실질적인 조언을 제공합니다.

"변화는 불가피하다. 그 변화를 이끄는 자만이 미래를 지배한다."

이러한 비전은 AI 기술의 발전이 우리 사회와 삶에 미칠 영향을 이해하고, 그에 적극적으로 대응하는 것의 중요성을 강조합니다.

미래 준비와 새로운 리더십의 중요성에 대한 깊이 있는 통찰과 함께, AI 시대를 살아가는 데 필요한 구체적인 전략과 사례를 제공합니다. 이는 독자들에게 AI 마인드셋을 통한 미래의 혁신과 변화를 주도하는 데 필요한 유용한 지침과 영감을 제공할 것입니다.

결국은 매일의 경험을 통해 창의적인 사고를 발전시키는 것입니다. AI를 활용한 창의적 질문은 일상의 사소한 순간들을 새로운 시각으로 바라볼 수 있는 기회를 제공합니다.

"우리는 AI와 함께 춤추며 새로운 세계를 만든다. 각 기술적 발전은 우리의 창조적 발걸음에 리듬을 더한다."

1. AI와 함께하는 일상 탐구

(1) 실습 방법: ChatGPT를 사용하여 매일 유튜브 카테고리별 다양한 주제에 대한 창의적 질문을 생성하고 탐구합니다.

(2) 예시 질문:

"만약 AI가 나의 하루를 계획한다면 어떤 일정을 제안할까?"

"AI가 나의 취미를 분석한다면 어떤 새로운 취미를 추천할까?"

"여름휴가 때, MBTI 기반으로는 어떤 여행 일정을 만들어줄까?"

(3) 목적: AI의 분석과 제안을 바탕으로 일상의 루틴을 벗어나 새로운 활동이나 관점을 알아봅니다.

2. 창의적인 문제 해결

(1) 실습 방법: AI를 활용하여 일상적인 문제 해결에 대한 창의적인 접근을 시도합니다. AI의 데이터 분석 능력을 활용하여 문제의 원인과 가능한 해결책을 탐색합니다.

(2) 예시 질문:

"AI가 분석한 이 문제의 주요 원인은 무엇이며, 어떤 해결책을 제시할까?"

(3) 목적: AI의 분석을 통해 문제를 다각도로 바라보고, 전통적인 사고에서 벗어난 창의적 해결책을 모색합니다.

3. AI와의 대화를 통한 창의력 증진

(1) 실습 방법: AI 챗봇이나 AI 기반 글쓰기 도구와의 대화를 통해 창의적 아이디어를 탐구하고 발전시킵니다.

(2) 예시 질문:

"AI와 대화하며 내가 쓰고 싶은 소설과 OTT 드라마의 시나리오는 각색해서 어떻게 콜라보레이션 할 수 있을까?"

(3) 목적: AI와의 상호작용을 통해 기존에 생각하지 못했던 아이디어를 발견하고, 창의적인 글쓰기를 실천합니다.

"AI 마인드셋은 우주를 탐험하는 우주선과 같다. 끝없는 가능성의 별들 사이를 여행하며, 우리의 지평을 넓힌다."

창의력을 증진시키는 미니 프로젝트

실생활에서 창의력을 키울 수 있는 미니 프로젝트를 통해 실질적인 경험을 쌓는 것입니다. AI 기술을 활용한 미니 프로젝트는 창의력을 발휘하고, 새로운 시각을 탐색하는 데 도움이 됩니다.

케이스 스터디 1: AI 기반 일상 생활 최적화 프로젝트

(1) 프로젝트 내용: AI 홈 어시스턴트를 활용하여 일상 생활을 최적화하는 프로젝트를 진행합니다. 예를 들어, 스마트폰에 ChatGPT 앱 활용 등 AI툴들을 사용하거나, AI를 통해 가정 내 에너지 사용을 최적화하거나, 가정용 로봇을 활용하여 청소나 요리를 자동화합니다.

(2) 실습 방법: AI 기술의 기능과 가능성을 탐색하고, 이를 자신의 생활에 어떻게 적용할 수 있는지 구체적인 계획을 수립합니다.

(3) 목적: AI 기술을 활용하여 생활의 효율성과 편리함을 향상시키고, 일상적인 작업에 대한 새로운 접근 방법을 모색합니다.

"AI 마인드셋은 상상력의 렌즈다. 그것을 통해 바라볼 때, 우리는 새로운 현실을 명확하게 볼 수 있다."

케이스 스터디 2: AI 기반 콘텐츠 제작 프로젝트

(1) 프로젝트 내용: AI 기반 텍스트나 이미지 생성 도구를 사

용하여 창의적인 콘텐츠를 제작합니다. 예를 들어, AI를 활용하여 독특한 시나 소설 시나리오 작성 및 음악 작곡을 하거나, AI로 예술 작품을 만드는 프로젝트를 진행합니다.

(2) 실습 방법: 다양한 AI 도구들의 창의적인 사용법들을 탐구하고, 이를 통해 자신만의 독창적인 콘텐츠를 생성합니다.

(3) 목적: AI 기술을 이용하여 창의적 표현의 가능성을 확장하고, 새로운 예술적 경험을 탐색합니다.

창의력 증진을 위한 개인적 실천

개인적인 관심사나 취미를 바탕으로 AI 기술을 활용하는 미니 프로젝트를 기획합니다. 예를 들어, AI를 활용하여 개인적인 건강 관리 계획을 수립하거나, AI 분석 도구를 사용하여 자신의 금융 관리 전략을 개선하는 프로젝트를 진행합니다.

AI 기술을 자신의 관심사와 연결하여, 창의적인 문제 해결 방법을 탐색하고 개인적인 성장을 촉진해 나갑니다.

"AI는 마음의 화가다. 우리의 생각과 꿈을 캔버스에 옮겨, 미래라는 걸작을 만든다."

6-2. AI 마인드셋: 인간과 AI 기술의

조화로운 미래 최적화 설계

"미래는 기술과 인간 정신의 조화에서 탄생한다. AI 마인드셋은 그 조화를 이루는 키다."

'만약 AI가 기업의 CEO가 된다면?' 이 질문은 AI가 인간의 리더십 역할을 맡는 미래의 가능성을 통해 현재 대표의 마인드를 AI 마인드셋으로 지속가능성의 미래를 그려봐야 할 시점입니다.

"진정한 혁신은 기술의 발전 속에서 인간의 가치를 발견하는 데 있습니다."

어떤 도전이나 마음속에 품은 목표들이 마치 하늘을 나는듯한 용처럼 흔들림없이 나아가려면, 365일을 위한 캔버스에 그림을 그리듯이 나의 삶을 채워나가는 시간을 가져보는 것이 중요합니다. 인간과 AI 기술의 조화를 통해 미래를 최적화하는 방법에 집중해야 합니다.

AI 세계는 끝없이 발전하고 있지만, 사용하는 사람에 따라 퀄리티와 결과물들이 달라지듯이 잘 활용하는 것 자체가 기술이며, 그 중심에는 항상 '나자신'이 있어야 합니다. 개인마다 가진 무한한 잠재력을 발견하고, 그것을 현실로 만들어나가기 위해 지속적으로 필요한 부분들은 배워나가야 합니다.

"AI 마인드셋은 생각의 씨앗이다. 이 씨앗이 자라나면서 우리의 상상력과 혁신의 꽃을 피운다."

질문으로 만드는 AI 마인드셋을 장착한 개인 발전과 성장 계획

AI 기술과 관련된 지식 및 기술을 향상시키고, 이를 일상 및 전문 영역에 적용하는 구체적인 전략을 4단계로 알아봅니다.

"AI 마인드셋은 미래를 향한 나침반이다. 기술의 바다에서 우리를 안내하며, 인간 정신의 깊은 바다를 탐험하게 한다."

단계 1: 자기 인식 및 목표 설정

(1) 질문 예시:

- "내가 AI 기술을 통해 달성하고 싶은 장기적인 목표는 무엇

인가?"

- "AI 기술을 학습하고 적용함으로써 내 삶에서 어떤 변화를 기대할 수 있을까?"

(2) 실습 방법: 자신의 관심사, 강점, 발전 가능성을 평가하고, AI 기술과 관련된 구체적인 학습 및 적용 목표를 설정합니다.

단계 2: 학습 계획 및 실행

(1) 질문 예시:

- "내가 AI 기술을 배우기 위해 필요한 자원과 시간은 얼마나 될까?"

- "특정 AI 기술을 습득하기 위한 최적의 학습 방법은 무엇일까?"

(2) 실습 방법: AI 관련 코스, 워크샵, 온라인 자료 등을 활용하여 학습 계획을 수립하고, 정기적으로 학습 진행 상황을 평가합니다.

단계 3: 실생활 및 직업에서의 적용

(1) 질문 예시:

- "내가 배운 AI 기술을 어떻게 일상 생활이나 직업에 적용할 수 있을까?"

- "AI 기술을 활용하여 내 업무 효율성을 어떻게 향상시킬 수 있을까?"

(2) 실습 방법: 학습한 AI 기술을 실제 생활이나 직업에 적용하는 프로젝트를 기획하고 실행합니다. 이를 통해 AI 기술의 실질적인 이점을 경험하고, 실제 문제 해결에 적용합니다.

단계 4: 지속적인 성찰과 조정

(1) 질문 예시:

- "내가 설정한 AI 학습 목표에 도달하기 위해 무엇을 조정해야 할까?"

- "AI 기술의 변화에 어떻게 적응하고 계속 발전할 수 있을까?"

(2) 실습 방법: 정기적으로 개인 발전 계획을 검토하고, 필요에 따라 목표와 전략을 조정합니다. AI 기술과 시장의 변화에 맞추어 계속해서 학습하고 적응하는 태도를 유지합니다.

"AI와의 조화는 미래의 무한한 캔버스 위에 그려진다. 우리는 이 캔버스에 각자의 색을 더하며, 끊임없이 새로운 그림을 그린다."

위와 같이 AI 기술과 인간의 능력을 서로를 보완하고, 강화해 나가야 합니다. AI 기술에 대한 일반적인 오해와 실제 능력 사이의 격차를 해소합니다.

AI가 실제로 수행할 수 있는 역할과 한계에 대해서도 이해해야 합니다. 예를 들어, 도시 계획 및 관리에서 AI를 활용하여 교통 흐름을 최적화하고, 에너지 사용을 효율화하는 사례는 AI가 인간의 삶을 어떻게 개선할 수 있는지를 보여줍니다.

"도시에서 AI는 보이지 않는 조력자다. 교통 신호 최적화에서 에너지 절약에 이르기까지, AI는 우리의 삶을 더 효율적이고 지속 가능하게 만든다."

AI 기술을 취미와 여가 생활에 통합하는 방법에 대한 실질적인 조언을 제공합니다. 예를 들어, AI 기반의 개인화된 추천 시스템은 책, 음악, 영화 등의 취미 생활을 더욱 풍부하게 만들 수 있습니다. "AI가 추천하는 책 한 권은 놀라운 발견의 시작이 될 수 있다. AI는 우리의 취향을 이해하고, 새로운 경험을 제안한다."

"AI 마인드셋은 미래를 준비하는 방식이다. 이를 통해 우리는 지속 가능하고 조화로운 미래를 설계할 수 있다."

AI 마인드셋을 통해 미래 사회의 변화를 주도하고, 지속 가능한 발전을 이룰 수 있는 전략을 알아보고, 이러한 관점은 AI 마인드셋이 미래의 변화를 이해하며, 그 변화를 긍정적인 방향으로 이끌 수 있는 힘임을 강조합니다.

AI 마인드셋이 어떻게 인간과 기술의 조화를 이루고, 그 결과로 더 나은 미래를 만들어갈 수 있는지에 대한 깊이 있는 통찰력과 함께, 구체적인 전략과 사례를 제공합니다. 이는 독자들에게 AI 기술을 삶에 통합하는 방법에 대한 실용적인 가이드를 얻을 수 있을 것입니다.

이 책을 통해 우리는 상상력을 넘어선 질문의 힘을 배웠습니다. 이제 여러분은 삶 속에서 이러한 질문들을 활용하여 AI와 함께 더 창의적이고 의미있는 삶을 살아나갈 수 있는 힘입니다. "내가 내일 세상을 어떻게 더 나은 곳으로 만들 수 있을까?"라는 질문으로 매일을 시작하며, 끊임없이 성장하고 변화하는 삶을 살아가게 될 날들을 기대합니다.

"우리는 AI와 함께 성장하는 화가다. 기술의 브러시로 인생이라는 그림에 색을 더하고, 꿈을 현실로 만든다."

에필로그
"상상력을 넘어선 질문, 삶을 바꾸다"

이 책의 여정을 마치며, 우리는 레오나르도 다 빈치의 시선으로 시작해 AI 마인드셋의 본질을 탐구하고, 창의적인 사고와 현실 속 실행에 이르기까지 다양한 주제를 통해 여러분과 함께 성장하고 발전해왔습니다. 이제, 여러분은 새로운 미래를 그리는 데 필요한 지식과 도구를 갖추게 되었습니다.

우리는 AI의 새벽에서 시작해, 레오나르도 다 빈치의 창의력과 현대 기술의 만남을 통해 새로운 시각을 발견했습니다. AI 시대의 마인드셋과 그 중요성을 이해하며, 인간 감성과 AI 기술의 조화를 추구하는 방법을 배웠습니다. 창의적 사고와 실행을 위한 질문들을 통해 우리는 문제 해결과 협업의 중요성을 깨달았고, 일상 속에서 창의력을 실천하는 법을 배웠습니다.

우리가 이 책에서 배운 것은 단순한 지식을 넘어섭니다. 이는 삶을 바라보는 새로운 관점, 상상력과 현실 사이의 교량, 그리고 미래를 향한 확고한 발걸음입니다. AI 마인드셋은 단순히 기술에 관한 것이 아니라, 우리 자신과 우리가 살아가는 세상을 이해하는 방법입니다.

이제 여러분은 이 책에서 배운 질문의 기술과 창의력을 자신의 삶에 적용할 준비가 되었습니다. 매일의 작은 변화가 큰 영향을 끼치고, 매일의 질문이 삶을 풍부하게 만들 것입니다. 여러분이 삶 속에서 이 책의 교훈을 실천하며, 여러분만의 독특하고 창의적인 길을 걸어가길 바랍니다.

상상력을 넘어선 질문들이 여러분의 삶을 어떻게 변화시킬지 기대하며, 이 책의 마지막 페이지를 덮습니다. 하지만, 이것은 끝이 아닌 새로운 시작입니다. 여러분의 삶에서 이 책의 교훈이 빛을 발할 때마다, 레오나르도 다 빈치와 현대 AI가 함께하는 여정은 계속될 것입니다.

부록
"AI마인드셋 가이드 20단계"

1단계: AI 마인드셋의 기초 구축

(1) 목표: AI 기술의 기본 이해와 마인드셋 형성

(2) 행동 지침:

- AI 기술의 기본 원리와 현재의 발전 상황에 대해 학습합니다.

- AI가 사회, 산업, 일상에 미치는 영향에 대해 탐구합니다.

- AI 기술에 대한 자신의 태도와 기대를 명확히 합니다.

2단계: 실제 생활에서의 AI 적용

(1) 목표: AI 기술을 일상 생활에 적용

(2) 행동 지침:

- AI 기반 앱이나 도구를 사용하여 일상의 작업을 간소화합니다.

- AI를 활용한 취미나 관심사 프로젝트를 계획합니다.

- AI 기술을 사용하여 개인적인 목표 달성을 지원합니다.

3단계: 전문적 영역에서의 AI 활용

(1) 목표: 직장이나 전문 분야에서 AI 기술 적용

(2) 행동 지침:

- AI 기술을 업무에 통합하여 생산성과 효율성을 향상시킵니다.

- AI 기반 분석 도구를 사용하여 데이터 기반 의사결정을 실행합니다.

- AI 기술을 활용한 혁신적인 프로젝트를 기획하고 진행합니다.

4단계: 지속적인 학습과 성장

(1) 목표: AI 기술의 지속적인 학습과 개인의 성장

(2) 행동 지침:

- AI 기술의 최신 동향과 발전을 지속적으로 학습합니다.

- AI 관련 세미나, 워크샵, 온라인 코스에 참여하여 지식을 확장합니다.

- AI 기술의 발전에 따라 자신의 마인드셋과 기술을 적극적으로 조정합니다.

5단계: AI 마인드셋의 사회적 적용

(1) 목표: AI 기술의 사회적 책임 의식 강화

(2) 행동 지침:

- AI 기술의 사회적, 윤리적 영향에 대해 탐구하고 토론합니다.

- 지역사회나 직장 내에서 AI 관련 지식을 공유하고, 대중 교육 및 인식 제고에 참여합니다.

- AI 기술을 활용한 사회적 문제 해결 및 적용에 기여합니다.

6단계: AI 윤리와 책임의 이해

(1) 목표: AI 기술의 윤리적 사용과 책임 있는 접근 방법 이해

(2) 행동 지침:

- AI의 윤리적 사용과 관련된 기준과 원칙을 학습합니다.

- AI 기술의 사회적, 도덕적 영향에 대해 깊이 있는 탐구를 합니다.

- AI 기술 사용 시 발생할 수 있는 윤리적 딜레마를 식별하고 해결 방안을 모색합니다.

7단계: AI를 통한 협업과 팀워크 강화

(1) 목표: AI 기술을 활용하여 팀워크와 협업 능력 강화

(2) 행동 지침:

- AI 도구를 활용하여 팀 내 소통과 협업을 개선합니다.

- AI 분석 및 예측 도구를 통해 팀 프로젝트의 성과를 향상시킵니다.

- 팀원 간의 AI 기술 경험과 지식을 공유하고, 함께 학습하는 문화를 조성합니다.

8단계: AI 기술과 창의적 사고의 결합

(1) 목표: 창의적 사고와 AI 기술의 효과적 결합

(2) 행동 지침:

- AI 기술을 활용하여 창의적 사고 과정을 강화하고 새로운 아

이디어를 발굴합니다.

- AI 기술과 창의적 사고를 결합한 혁신적인 프로젝트와 솔루션을 개발합니다.

- 창의적인 아이디어를 AI 기술로 실현이 가능하도록 문제 해결에 AI 기술을 적용하여 비전통적이고, 혁신적인 방법을 모색합니다.-

9단계: AI 기술의 지속적인 발전 추적

(1) 목표: AI 기술의 최신 동향과 발전 추적

(2) 행동 지침:

- AI 기술의 최신 연구와 발전에 대해 지속적으로 학습합니다.

- AI 관련 컨퍼런스, 웨비나, 워크샵에 참여하여 최신 지식을 습득합니다.

- AI 기술의 발전과 적용 사례를 추적하고, 이를 자신의 분야에 적용합니다.

10단계: AI 마인드셋의 전파와 영향력 확대

(1) 목표: AI 마인드셋의 사회적 전파와 영향력 확대

(2) 행동 지침:

- AI 관련 지식과 경험을 커뮤니티와 공유하고, 교육합니다.

- AI 기술의 사회적 영향에 대한 대중의 인식을 높이는 데 기여합니다.

- AI 기술의 긍정적인 사용을 장려하고, 사회적 책임을 촉진 하는 활동에 참여합니다.

11단계: AI 기술과 글로벌 트렌드 연계

(1) 목표: AI 기술을 글로벌 트렌드와 연결하여 이해

(2) 행동 지침:

-세계적인 이슈와 트렌드에 AI가 어떻게 기여할 수 있는지 탐구합니다.

-글로벌 AI 이니셔티브와 연구를 추적하고, 이를 자신의 지식과 경험에 통합합니다.

-다양한 문화와 지역에서의 AI 적용 사례를 분석하고 배웁니다.

12단계: AI 기반 자산 관리

(1) 목표: 개인 및 전문적 자산 관리에 AI 활용

(2) 행동 지침:

-AI 기술을 이용하여 투자, 자산 관리, 재정 계획을 최적화합니다.

-AI 분석 도구를 활용하여 시장 동향을 분석하고, 재정적 결정을 내립니다.

-AI 기반 재정 관리 앱과 플랫폼을 활용하여 재정 상태를 모니터링합니다.

13단계: AI 기술과 지속 가능한 커리어 개발

(1) 목표: 커리어 개발에 AI 기술 통합

(2) 행동 지침:

- AI 기술의 학습과 응용을 통해 전문적인 경력을 발전시킵니다.

- AI 기술을 활용하여 새로운 직업 기회를 탐색하고, 경쟁력을 강화합니다.

- AI 기술과 관련된 직업군에서의 역량 강화와 전문성 향상을 추구하며, 지속 가능한 미래를 위한 AI 솔루션을 고민합니다.

14단계: AI 기술과 창업/비즈니스 혁신

(1) 목표: AI 기술을 창업 및 비즈니스 혁신에 적용

(2) 행동 지침:

- AI 기반의 스타트업 아이디어를 개발하고 시장 가능성을 평가합니다.

- 기존 비즈니스에 AI 기술을 통합하여 경쟁력을 강화합니다.

- AI 기술을 활용한 새로운 비즈니스 모델과 전략을 개발합니다.

15단계: AI 기술과 창의적 예술 표현

(1) 목표: AI 기술을 예술과 창의적 표현에 활용

(2) 행동 지침:

- AI를 이용하여 예술 작품을 생성하고, 창의적 표현 방법 및 영역을 탐구합니다.

- AI와 예술의 결합을 통해 전통적인 예술 형태에 혁신을 가져오고, 창조적인 표현의 한계를 확장합니다.

- AI 기술을 활용한 예술 작품 제작과 전시 및 멀티미디어 프로젝트를 기획하고 실행 합니다.

16단계: AI 기술과 개인 건강 관리

(1) 목표: AI 기술을 개인 건강 관리와 연결

(2) 행동 지침:

- AI 기반 건강 모니터링 도구를 사용하여 개인 건강 관리를 최적화합니다.

- AI를 활용하여 식습관, 운동, 스트레스 관리에 대한 맞춤형 조언을 받습니다.

- 건강 데이터 분석을 통해 개인적인 웰빙을 향상시키는 전략을 수립합니다.

17단계: AI 기술과 교육 혁신

(1) 목표: AI 기술을 교육 혁신에 활용

(2) 행동 지침:

- AI 기반 학습 도구를 활용하여 효과적인 자기 주도 학습을 실천합니다.

- AI를 이용하여 학습 내용의 개인화 및 맞춤형 교육 경험을 설계합니다.

- AI 기술을 활용한 교육 콘텐츠 개발 및 전달 방법을 탐구합니다.

18단계: AI 기술과 커뮤니티 및 글로벌 커뮤니케이션

(1) 목표: AI 기술을 글로벌 커뮤니케이션 개선 및 활용

(2) 행동 지침:

- AI 기술을 활용하여 다국어 커뮤니케이션 장벽을 극복합니다.

글로벌 시장에서의 AI 응용을 탐구하고, 다양한 문화적 맥락에서 AI를 사용합니다.

- AI 기반 번역 도구 및 커뮤니티 멤버들과 AI 기술을 활용한

콜라보레이션 프로젝트를 수행 및 인터랙티브 커뮤니케이션 시스템을 활용합니다.

- AI 기술을 활용한 지역사회 문제해결, 기후 변화, 지속 가능성, 세계적인 보건 문제 등 해결에 기여 및 역할과 가능성을 모색합니다.

19단계: AI 기술과 창의적 콘텐츠 제작

(1) 목표: AI 기술을 이용한 창의적 콘텐츠 제작

(2) 행동 지침:

- AI를 활용하여 독특한 블로그 글, 비디오, 팟캐스트 등의 콘텐츠를 생성합니다.

- AI 기술을 이용하여 새로운 형식의 스토리텔링과 내러티브를 탐구합니다.

- AI 기술을 통해 콘텐츠 제작의 효율성을 높이고, 창의적인 아이디어를 실현합니다.

20단계: AI 기술과 지속적인 자기 계발

(1) 목표: AI 기술을 통한 지속적인 자기 계발

(2) 행동 지침:

- AI 기술의 학습을 일상의 일부로 활용하여 지속적인 학습과

자기 개발을 매월 말일에 업데이트합니다.

- AI 기반 앱과 플랫폼을 사용하여 새로운 기술과 지식을 습득합니다.

- AI 기술을 개인적인 성장과 발전을 위한 지속적인 목표를 설정하고, 관련 온라인 과정, 세미나에 참여하여 전문성을 강화합니다.

"매일의 질문은 나를 더 깊은 통찰로 이끌고, AI와의 상호작용은 나의 이해를 확장한다."

AI 마인드셋을 위한 일상에서 활용법

1. AI 마인드셋 개발을 위한 일상적 실천

(1) 매일 다양한 상황에서 창의적인 질문 연습을 통해 일상에서 활용하는 방법을 제시합니다.

(2) 질문을 통해 일상에서 창의적인 아이디어를 발굴하는 연습 방법을 제공합니다.

2. AI 기술에 대한 기본 지식 습득

(1) AI 기술의 기본 원리와 최신 동향을 이해하기 위한 자료 및 리소스를 안내합니다.

(2) AI 기술이 우리 삶에 미치는 영향에 대해 고민하고 토론하는 방법을 제안합니다.

3. AI와 함께 성장하는 마인드셋 구축

(1) AI 기술을 활용하여 개인 및 직업적 목표를 설정하고 달성하는 전략을 개발합니다.

(2) AI 툴 및 애플리케이션을 사용하여 생산성을 높이는 방법을 제시합니다.

4. AI 마인드셋으로 미래 준비하기

(1) 변화를 수용하고 미래에 대비해서 AI 시대에 필요한 새로운 기술과 능력을 개발하는 방법을 안내합니다.

(2) 끊임없이 학습하고 적응하는 자세의 중요성을 강조 합니다.

5. AI와 함께하는 미래 설계

(1) AI 기술을 활용하여 개인적, 전문적인 미래를 설계하는 방법을 제시합니다.

(2) AI 기술이 변화시킬 미래의 생활과 직업에 대해 탐구합니다.

"AI 마인드셋은 상상의 날개이다. 그 날개로 우리는 현실의 하늘을 난다."

질문, 삶의 지도를 그리다

"AI 마인드셋은 미래의 지도이다. 우리는 그 지도 위에서 자신만의 경로를 그린다."

1. 삶의 탐색을 시작하는 질문

삶의 여정은 질문으로 시작됩니다. "내가 진정으로 원하는 것은 무엇인가?"와 같은 질문은 우리 자신에 대한 탐색의 출발점이 됩니다. 이러한 질문은 자기 인식을 증진시키고, 목표와 욕망을 명확히 하는 데 도움이 됩니다.

"AI의 눈으로 세상을 바라볼 때, 나는 전에 보지 못했던 솔루션과 기회를 발견한다."

2. 질문을 통한 삶의 이해

우리의 삶과 주변 세계에 대한 이해는 깊이 있는 질문에서 비롯됩니다. "나를 둘러싼 사람들과 환경은 나에게 어떤 영향을 미치는가?"와 같은 질문은 우리가 어떻게 다른 사람들과 상호작용하고, 주변 환경에 영향을 받는지를 탐구합니다.

"창의력은 나의 무한한 자원이며, AI는 그 자원을 현실로 전환시키는 도구이다."

3. 삶의 의미와 방향성을 찾는 질문

삶의 의미와 방향성은 "나의 삶에서 가장 중요한 것은 무엇인가?"와 같은 질문을 통해 더욱 분명해집니다. 이러한 질문은 우리가 중요하게 생각하는 가치와 우선순위를 명확히 하고, 삶의 의미를 찾는 데 중요한 역할을 합니다.

"매일 AI와의 대화는 나의 사고를 넓히고, 새로운 아이디어의 씨앗을 뿌린다."

4. 질문으로 만드는 삶의 계획

"앞으로 5년 뒤 나는 어디에 있고, 무엇을 하고 싶은가?"와 같은 질문은 우리의 미래 계획과 꿈을 구체화하는 데 중요한 역할을 합니다. 이러한 질문을 통해 우리는 현재의 행동과 선택이 미래에 어떤 결과를 가져올지를 예측하고 계획할 수 있습니다.

"AI 마인드셋으로 무장한 나는 미래의 도전을 기회로 전환한다."

5. 삶의 난관과 도전을 극복하는 질문

삶의 어려움과 도전 앞에서 "이 상황에서 나는 어떤 배움을 얻을 수 있는가?"와 같은 질문은 문제를 다른 관점에서 바라보고 해결책을 모색하는 데 도움이 됩니다. 이러한 질문은 어려움을 성장의 기회로 바꾸는 데 중요한 역할을 합니다.

"AI는 나의 창의적 파트너이며, 함께 우리는 불가능한 것을 가능하게 만든다."

6. 삶의 깊이를 더하는 질문

"내 삶에서 진정한 행복과 충족감은 어디에서 오는가?"와 같은 질문은 우리의 삶에 깊이와 의미를 더합니다. 이러한 질문을 통해 우리는 자신의 가치와 목표에 더욱 집중하고, 삶을 보다 충족되고 의미 있는 방향으로 이끌 수 있습니다.

"매일 AI를 통해 새로운 경험을 탐험하며, 이는 나의 삶을 더욱 풍부하게 만든다."

[실행으로 이끌어낼 수 있는 AI 확언 문장 20가지]

1."오늘 나는 AI를 통해 새로운 것을 배우고, 이를 실천한다."

2."나의 창의적인 아이디어는 AI와의 협업으로 현실이 된다."

3."매일 AI와의 상호작용을 통해 나는 더 똑똑해지고, 혁신의 아이콘이 된다."

4."나는 AI의 힘을 활용하여 오늘의 도전을 내일의 기회로 만든다."

5."AI와 함께라면, 나의 꿈은 한층 더 가까워진다."

6."나는 AI를 통해 불가능을 가능으로 바꾸는 크리에이터다."

7."매일 AI 기술과 함께 성장하며, 나의 한계를 넘어선다."

8."나의 매일은 AI와의 협력으로 더욱 풍요롭고 생산적이다."

9. "AI는 나의 일상을 간소화하고, 나는 더 큰 꿈을 추구한

다."

10."나는 AI의 능력을 이용해 내 삶을 더욱 효율적으로 만든
다."

11. "AI는 나의 생각과 아이디어를 풍부하게 하며, 나는 이를
현실로 구현한다."

12. "나는 AI를 통해 새로운 지식의 문을 열고, 끊임없이 배
우고 성장한다."

13. "나는 매일 AI와 함께 새로운 가능성을 탐색한다."

14."AI의 도움으로 나는 매일 더 나은 결정을 내린다."

15."나는 AI를 통해 새로운 관점을 얻고, 나의 사고를 확장
한다."

16. "AI와 함께하는 매일은 나에게 끊임없는 영감을 준다."

17."나는 AI를 활용하여 매일 새로운 창조적 도전을 수행한
다."

18."AI는 나의 가장 강력한 도구이며, 함께 우리는 놀라운
것들을 이룬다."

19."나는 AI 기술을 통해 일상의 문제를 해결하고, 삶을 개
선한다."

20."나는 AI와 함께라면 어떤 장애물도 극복할 수 있다는 것을 믿는다."

"AI 마인드셋은 상상력의 불꽃을 지피는 불씨이다. 그 불꽃은 우리의 창의력을 밝히고, 새로운 아이디어를 태운다."

이제 상상력을 넘어선 질문을 통해 자신의 삶을 변화시킬 준비가 되어 있습니다. 상상력과 창의적인 질문을 일상에 적용함으로써 더 나은 미래를 설계하고, AI 시대를 선도하는 경로를 만들어 나갑니다. 이 여정의 끝은 새로운 시작이며, 삶 속에서 실천하며 끊임없이 성장할 것입니다.

"AI 마인드셋은 끊임없는 호기심의 여행이다. 기술은 우리를 더 멀리, 더 깊이 탐험하게 한다."